KU-428-536

DE HYDROGRAAF

ALLARD SCHRÖDER

De hydrograaf

2003
DE BEZIGE BIJ
AMSTERDAM

Eerste druk april 2002
Tweede druk juni 2002
Derde druk oktober 2002
Vierde druk november 2002
Vijfde druk november 2002
Zesde druk december 2002
Zevende druk maart 2003
Omslagontwerp Wim ten Brinke
Omslagfoto Michael Kahn
Foto auteur Annelie Musters
Typografie Adriaan de Jonge
Druk Hooiberg, Epe
ISBN 90 234 0119 0
NUR 301
www.allardschroder.nl

I

I

In het leven van Franz von Karsch-Kurwitz is ogenschijnlijk weinig voorgevallen dat nu, zesenvijftig jaar na zijn dood, misschien nog de moeite van het vermelden waard zou zijn. Zo gaat het met veel levens, de hartstocht waarmee ze zijn geleefd is meestal aan de wereld voorbijgegaan, hun klaroenstoten zijn nergens vernomen, waardoor er naderhand stilzwijgend wordt aangenomen dat die er dan ook wel nooit zullen zijn geweest. Het nageslacht rest dan nog weinig: de kaart van het bevolkingsregister, die opvalt door het mooie handschrift van de ambtenaar, en wat persoonlijke bezittingen van de overledene – al hebben ze met de dood van de eigenaar de betekenis verloren die ze eens voor hem hebben gehad. In het geval van Franz von Karsch zijn dat vitrines vol opgeprikte vlinders en een kistje met instrumenten van messing, waarvan niemand meer weet waarvoor hij ze heeft gebruikt. Uit het nagelaten paspoort blijkt dat Karsch ooit lange reizen heeft gemaakt, maar dat de laatste zijn leven een andere wending heeft gegeven, valt er niet uit op te maken, en evenmin dat de kleine, onbetekenende voorvallen die er de oorzaak van waren later konden verworden tot de chimaeren die Karsch tot de dag van zijn dood hebben achtervolgd. Zijn nalatenschap heeft hem dan ook niet tot een tragisch personage gemaakt, daarvoor zou hij trouwens nooit het talent hebben gehad – een ironisch personage is hij ook niet geweest, omdat hij als zovelen in zijn tijd al een stem in het koor was geworden waar niemand tragisch of ironisch is. Als u mij toestaat zal ik die stem tot leven trachten te roepen en voor u laten klinken – niet in het koor, maar solo.

2

Toen de viermaster 'Posen' op 15 april van het jaar 1913 twee dagen na het vertrek uit de thuishaven Hamburg het Kanaal achter zich liet en met bestemming Valparaiso koers zette naar het zuiden, was het ten gevolge van een uitgestrekt hogedrukgebied boven West-Europa kalm voorjaarsweer. Een flauwe, soms aflatende wind zorgde af en toe voor een lome rimpeling in de zeilen en golfjes klotsten mopperig tegen de scheepswand. Zo lusteloos was de zee dat Franz von Karsch, die zich zonder reisbestemming had ingescheept, maar meevoer om wetenschappelijke waarnemingen te doen, zijn camera en meetinstrumenten in zijn hut had gelaten toen hij ter hoogte van Kaap Finistère na een middagslaapje met lichte hoofdpijn aan dek kwam. Het heldere zonlicht deed hem pijn aan de ogen en verergerde het onverwachte gevoel van verlatenheid waarmee hij was wakker geworden. Na het opslaan van zijn ogen had hij niet geweten waar hij was, even had hij zelfs geloofd dat de scheepshut bij een oude, onplezierige droom hoorde, waarvan hij de bijzonderheden inmiddels alweer was vergeten. Toen het tot hem doordrong waar hij zich bevond, was hij vreemd genoeg even teleurgesteld geweest, alsof zijn dromen hem toch liever waren geweest dan de werkelijkheid, maar tegelijk had hij ook geen plek kunnen bedenken waar hij dan wél had willen zijn. Minutenlang was hij nog blijven liggen, niet bij machte op te staan, tot hij zich bruusk uit zijn verlamming wist te bevrijden door zich op de zij te wentelen en zich van bed te laten rollen.

Een van zijn twee medepassagiers stond aan de reling en bestudeerde de horizon. Werktuiglijk en schijnbaar zonder te genieten trok hij aan een dun sigaartje, alsof roken geen verslaving, maar arbeid was. Eerder al had hij zich met een hoge, wat hese stem voorgesteld als Amilcar Moser, afkomstig uit Triëst, waar hij, zoals hij meteen maar meedeelde, ook zijn jeugd had doorgebracht. Hij werkte als inkoper voor een Hamburgse salpeterfirma en ging voor zaken naar Chili.

Naar zíjn reisdoel gevraagd had Karsch na een korte aarzeling geantwoord dat hij nergens heen ging. De salpeterhandelaar had hem pas geloofd toen Karsch hem in korte bewoordingen had uitgelegd dat hij aan boord was om wetenschappelijke waarnemingen te doen en gegevens te verzamelen. Zeegang, wind en golven zou hij meten en stromingen bestuderen.

Ongelovig keek Moser naar de gezapig kabbelende zee en wilde weten wat er aan dat eentonig heen-en-weer van die ontelbare, allemaal op elkaar lijkende golfjes in hemelsnaam te bestuderen viel.

Karsch had hem kunnen uitleggen dat het hem erom te doen was de wetmatigheden van zeegang en golfslag te analyseren en door middel van wiskundige modellen te beschrijven, maar in plaats daarvan glimlachte hij alleen maar verontschuldigend en hoopte dat Moser niet zou doorvragen.

'Wel, een zeemeter is weer eens wat anders dan een landmeter.' Moser vond het een geslaagde opmerking. Hij lachte tenminste geluidloos, de mond opengesperd, waarin een slanke, naar achteren breder wordende tong vrij leek te zweven.

Werktuiglijk deed hij een stapje achteruit en wilde weglopen, maar Moser hield hem tegen.

'Dan kunt u me natuurlijk ook uitleggen wat dit voor soort zeegang is,' zei hij terwijl hij naar de golfjes wees, die met bedaarde regelmaat opkwamen en ondergingen.

'Drie à vier,' antwoordde Karsch werktuiglijk. En toen de ander hem vragend aankeek: 'In de hydrografie wordt de zeegang aangegeven op een schaal van nul tot tien. Nul is een volkomen gladde zee. Negen is het maximum: orkaansterkte, golven als bergen.'

Moser schoot de peuk van zijn sigaartje over de reling. 'Drie à vier dus. Blij dat ik dat weet.'

'Weet u wat de trochoïdentheorie inhoudt?' vroeg Karsch stijfjes, heel goed wetend dat de ander daarvan nooit had gehoord. 'Nee, natuurlijk niet, waarom zou u ook,' ging hij verder zonder het antwoord af te wachten. 'Deze theorie geeft inzicht in de relaties tussen de afzonderlijke elementen van de golfbeweging.' Er sloop een vermoeide ondertoon in zijn stem. Hij was boos op zichzelf dat hij zich toch had laten verleiden een grijnzende leek tekst en uitleg te geven over zijn onderzoek.

'De wetenschap heeft een formule ontworpen die de dynamiek van de golfbeweging onder verschillende omstandigheden beschrijft. Het is mijn doel met mijn waarnemingen aan te tonen dat deze theorie correct is.'

Karsch pauzeerde. 'Snapt u?' vroeg hij sarcastisch, hopend dat Moser daarmee voldoende geïntimideerd was en niet zou doorvragen. Straks zou hij hetzelfde ook nog een keer moeten uitleggen aan de andere passagier, die zich had voorgesteld als Ernst Totleben uit Halle, want ook die zou hem vroeg of laat met zijn instrumenten aan dek aantreffen.

Moser keek naar de zee alsof hij haar voor het eerst zag. Enige tijd volgde hij de bewegingen van de golven, waarbij zijn hoofd lichtjes meedeinde met de deining. Uiteindelijk haalde hij verwonderd zijn schouders op. Hij had niets opmerkelijks gezien.

Karsch had de man het liefst afgepoeierd, maar hij besloot hem niet voor het hoofd stoten. De reis naar Valparaiso zou onder nadelige omstandigheden wel eens langer dan drie maanden kunnen duren, het was beter voor de stemming aan boord dat men elkaar verdroeg.

'Alles wat er zich voor uw ogen afspeelt, gehoorzaamt aan natuurkundige wetten,' legde hij de salpeterhandelaar uit, en hij vond dat hij pedant klonk. 'Het is zelfs theoretisch denkbaar dat alle bewegingen van de zee in één alomvattende formule zouden kunnen worden beschreven, maar zover zijn we nog niet.'

Moser wilde weten waarvoor dat goed was.

Wrevelig haalde Karsch zijn schouders op. 'Het te weten.'

Moser was teleurgesteld. 'Meer niet?'

Nee, niet meer dan 'het te weten'. Dit antwoord was correct, deze nobele dooddoener gaf zin aan alle wetenschap. In werkelijkheid waren er maar weinigen – de frikken daargelaten – die het ook *werkelijk* afdoende vonden. In hen gingen andere antwoorden schuil, visioenen van een kosmisch uurwerk, van het stille, lege oneindige – al konden die woorden onderling verwisseld worden – van de fondanten Hand van God de Schepper, van nog mystieker dromen over ondergang en opstanding van de wereld, alles vergezichten die ze geen van alle het daglicht gunden; hun geloof of hun nihilisme hielden ze liever voor zich.

'Misschien kunnen we op een dag voorspellen dat er bijvoorbeeld op veertien juni negentienzesenveertig zich ter hoogte van de Galapagos zware zeegang zal voordoen die schepen beter kunnen vermijden,' antwoordde Karsch. Hiermee kon je ten minste de utilitarist van je afschudden.

'Ah. En dat is uw levenswerk?'

Karsch deed net alsof hij de geamuseerde ondertoon niet had opgemerkt. Tot zijn eigen verbazing zag hij er ook vanaf zijn wetenschappelijke interesse verder te verdedigen, hoewel hij het gewoonlijk slecht kon hebben als een buitenstaander er alleen maar het nutteloze van inzag. Waarom reageerde hij eigenlijk zo onverschillig op Mosers ironie en had hij geen betere repliek dan een schaapachtig lachje?

Met toegeknepen ogen zocht hij de zee af, alsof daar steun voor zijn onzekerheid was te vinden, een teken dat hij niet moest opgeven omdat er ooit een dag zou komen dat hij de geheimen van haar diepten als een boek zou kunnen lezen, maar hij zag niets.

3

Van begin af aan had de reis onder een verkeerd gesternte gestaan. Gewoonlijk bereidde Karsch zijn onderzoek grondig voor, maar nu had hij tegen zijn gewoonte in besloten zich hals over kop en zonder uitgewerkt plan op de Posen in te schepen. Afspraken maken met het hoofd van het instituut, onderzoeksdoelen formuleren, wetenschappelijke tijdschriften aanschrijven, het waren allemaal dingen die hij dit keer had nagelaten. Daags voor het vertrek had hij nog even overwogen zijn reis uit te stellen en misschien later met een ander schip te reizen, maar het vooruitzicht misschien nóg een maand aan wal te moeten doorbrengen, had voor hem onverwacht de doorslag gegeven. Pas toen hij Hamburg aan de horizon had zien verdwijnen, had hij aan zichzelf willen toegeven dat zijn overhaaste vertrek een vlucht was geweest.

4

Het regelmatige leven dat Franz von Karsch leidde als *Privatdozent* aan het *Ozeanographisches Institut* was hem in de loop der jaren steeds trager voorgekomen, waardoor het had geleken alsof het juist sneller voorbijging, alsof hij op de fiets van een helling reed en, zonder dat hij hoefde te trappen, in vliegende vaart naar beneden denderde, het dal in. Op een dag was hij in paniek opgesprongen van zijn bureau waaraan hij had zitten werken, om vervolgens daar besluiteloos te blijven staan. Hij voelde zijn hart zwaar in zijn borst bonken, de tijd suisde en liep als zand tussen zijn vingers weg.

Toen hij weer was gaan zitten, had hij een bedorven smaak in zijn mond gehad. De daaropvolgende dagen verging het hem niet beter. Uren achtereen staarde hij in gruizelig nietsdoen voor zich uit in de hoop dat iemand hem zou komen storen om tegen hem te praten en hem uit zijn verdoving te bevrijden.

Er kwam niemand. Hij wilde immers nooit gestoord worden?

Hij vluchtte van zijn werk naar zijn appartement om daar de rest van de dag lusteloos heen en weer te drentelen. Af en toe bleef hij staan, bekeek de foto's van zijn Pommerse jeugd, die hij ooit had opgehangen om iets vertrouwds om zich heen te hebben; ook zij waren niet in staat prettige mijmeringen bij hem op te roepen. Stille gangen en kamers waar niemand was, het lusteloze gepingel van zijn moeder op de vleugel in de salon, haar parfum dat er verweesd achterbleef als ze naar haar vertrekken was gegaan, de zwijgende, dichte deur van zijn vaders kamer.

Hij draaide zich om naar de boekenkast. Zonder iets te lezen staarde hij in de verslagen van zijn reizen en verveelde zich. Op zijn tweeëndertigste was hij al een man met herinneringen die belangwekkender waren dan zijn vooruitzichten.

De aanhoudende stagnatie maakte hem melancholiek. Misschien dat hij afleiding moest zoeken. Al die martelend lange dagen vol lediggang had hij kunnen vullen met concerten, visites aan familieleden of desnoods met iets sportiefs, een schietvereniging bijvoorbeeld.

Maar hij deed niets.

Toen hij een avond in de Sociëteit voor Handel en Scheepvaart te midden van indommelende collega's had doorgebracht, had hij last van ademnood gekregen en zich er niet meer laten zien. Kort daarop was hij na zijn werk niet meer rechtstreeks naar huis gegaan, maar in de stad blijven hangen. In de cafés bladerde hij de avondkranten door of keek hij naar de lichtjes en maakte kennis met anderen die om dezelfde reden het café bezochten. Hij dronk een glas bier met hen en keuvelde wat over de dingen die ze in de krant hadden gezien. Toen men op een dag terloops bij hem informeerde wat hij eigenlijk van beroep was, antwoordde hij dat hij natuurkundige was, waarmee hij dan wel niet loog, maar ook niet de gehele waarheid sprak. Daarom ging hij die avond slecht gehumeurd naar huis, zich afvragend waarom hij er niet voor uit had willen komen waar zijn belangstelling naar uit ging. Omdat hij zich er niet nog een keer op wilde laten betrappen, meed hij het café en bleef in arren moede maar weer thuis, waar hij met de handen op de rug door de kamer liep, foto's oppakte, ze met iets van verwondering bekeek en weer neerzette.

Bevreemd, alsof hij niet inzag waarom het hem aanging, bekeek hij steeds het portretje van Agnes Saënz dat hij in de lijst van een spiegel had gestoken. De foto was van recente datum. Hij liet een schuw meisje zien met sluik, donkerblond haar en een spits gezicht dat in haar jeugd door de pokken was geschonden. Misschien had de natuur haar op die manier al vroeg lelijk gemaakt om haar alvast te verontschuldigen voor haar latere schuwheid. Het kon ook andersom zijn. Eigenlijk wist Karsch weinig van haar. Ze las Franse romans in bedeesd geïllustreerde luxe-uitgaven en speelde piano, zij het met weinig zelfvertrouwen. Ze sloeg de toetsen zo schuchter aan alsof ze zich schaamde dat ze er geluid mee maakte en zo tot haar schrik ieders aandacht trok, aangezien de beleefdheid voorschreef dat men zijn mond hield en luisterde wanneer er werd gespeeld.

Hoogstwaarschijnlijk zou Karsch met haar trouwen. Zo hadden hun families het uitgemaakt en hij had zich er nog altijd niet tegen verzet, hoewel hij het wel van plan geweest was. Op een of andere manier had de zaak hem niet geraakt en was er niets van gekomen; misschien wel omdat Agnes steeds slecht op haar gemak leek in het gezelschap van zijn familie en hij haar niet had willen kwetsen. Toen het huwelijk voor het eerst voorzichtig ter sprake was gekomen, had hij hulpeloos naar buiten gekeken. Van die middag had hij zich alleen weten te herinneren wat voor weer het was geweest. *Toenemende sluierbewolking, klam en te warm voor de tijd van het jaar.*

Bij een volgende ontmoeting hadden Agnes Saënz en Karsch elkaar al wel uit hun ooghoeken gadegeslagen en de blik daarna schielijk weer afgewend, verlegen door de vragen die ze zichzelf daarbij hadden gesteld. Hoe zou het zijn als ik met hem of haar... Hij had zich toen ook haar tengere borst getracht voor te stellen, die in een stijf gesloten lijfje door ontelbaar veel knoopjes aan het oog werd onttrokken, onbereikbaar voor de liefde.

Ze werden uit wandelen gestuurd. Karsch moest haar het landgoed laten zien, zodat ze alvast... Enfin, men wilde niet op de gebeurtenissen vooruitlopen. Onderweg had ze zich verontschuldigd dat ze hem misschien lastig had gevallen, misschien had hij zijn tijd beter willen besteden dan met haar langs weilanden te slenteren. Hij verzekerde haar dat hij niets liever deed. Onderweg was een oudere boerin voor hen opzij gegaan en in de berm gestapt om hen voorbij te laten. Daarbij verloor ze haar evenwicht en viel ze met haar mand met appels op de modderige grond . Impulsief zonk Agnes Saënz op haar knieën om haar te helpen de appels bijeen te rapen. De kin in de lucht, handen stijf op de rug keek Karsch toe hoe ze gebukt de mand vulde voor de vrouw, die jammerend over haar ongeluk de jongeheer vroeg haar te vergeven. Wat moest hij doen? *Immer Haltung, mein Jungen!* Hij zou ook een appel in de mand kunnen doen als teken van goede wil. Op datzelfde moment bukte Agnes Saënz zich om er een op te rapen die tussen zijn voeten was gerold. Karsch had zich onbehaaglijk gevoeld daarbij op haar neer te moeten kijken. Het liefst was hij doorgelopen, maar hij moest wachten tot ze de modder van de kleren van het oudje had geveegd. Onderweg naar huis vroeg hij ironisch of het mensje haar een wens had toegestaan. Ze antwoordde niet, maar wendde het hoofd af. Om zijn grofheid goed te maken wees hij haar nog een paar weilanden en leidde haar langs een bietenveld, maar het mocht niet baten.

Toen hij naar Hamburg was teruggekeerd, had Karsch zichzelf wijsgemaakt dat hij wel op een of andere manier onder de verbintenis uit zou kunnen komen, al liet hem de gedachte niet los dat het al was voorbeschikt dat hij zijn leven als man aan de zijde van Agnes Saënz zou doorbrengen. Plotseling beklemd door dit vooruitzicht had hij haar foto uit de spiegellijst gehaald en in een la gelegd.

De dag daarop had hij bij toeval gehoord dat de Posen over twee dagen naar Valparaiso zou vertrekken.

5

Ernst Totleben had lang, licht kroezend haar, dat hij tot in de nek droeg, en bezat een hoofd dat wellicht voor elk lichaam te groot zou zijn geweest, maar beslist voor iemand met zo'n lange, magere gestalte als de zijne. Meestal zat hij in een dekstoel met een onthechte glimlach te lezen in een oranje boek of volgde hij de duikvluchten van de meeuwen.

Moser had al een uur na het vertrek weten te vertellen dat Totleben een baan had aangenomen als leraar in de talen en de geschiedenis van de klassieke oudheid aan het *Deutsches Gymnasium* te Santiago de Chile.

Nadat Totleben enige tijd zwijgend had staan toekijken hoe Karsch metingen verrichtte, was hij op hem afgekomen en had plompverloren opgemerkt dat hij de zee verafschuwde. 's Nachts lag hij wakker van het gek makende gekabbel van de golven tegen de scheepsromp, overdag aan dek werd hij misselijk van de deining en de wezenloze, ogenschijnlijk immer in zichzelf verzonken uitgestrektheid om hem heen. Leegten gaven hem een gevoel van onrust, aan land joeg een horizon zonder torenspits hem al angst aan. Als hij over de zee uitkeek en de duizeligheid weer in zich voelde opkomen, hoopte hij steeds dat uit de mist boven de einder plotseling de Eilanden der Gelukzaligen zouden opduiken, om hem tenminste iets van vaste grond onder de voeten te bezorgen.

Daarna wandelde hij terug naar de dekstoel en zijn boek.

Ook onder het eten, dat hij haastig over zijn bord gebogen naar binnen schrokte, zei Totleben meestal weinig, hij liet het woord aan Moser, die met kapitein Paulsen of de eerste stuurman de vorderingen van de dag besprak en de positie van de Posen in een notitieboekje vastlegde. Te pas en te onpas, maar steeds met iets van trots, verklaarde de salpeterhandelaar dat hij een man van feiten was. Van elk van zijn vorige reizen naar Chili had hij zo'n notitieboekje overgehouden. Hij kon er precies in terugvinden waar en op welke hoogte hij op welke dag was geweest. Ze waren daarom een belangwekkend bezit en hij overwoog ze in leer te laten inbinden. Toen hij Totleben daarom zag glimlachen, viel hij naar hem uit en brieste dat diens arrogante lachje misplaatst was. Misschien wist Totleben het niet, maar ze leefden al in een wereld waarin het in toenemende mate om feiten en niets dan feiten draaide en al lang niet meer om de zogenaamd verheven haarkloverijen waarmee híj zich onledig hield. Binnenkort zou er een tijd aanbreken dat alle mensen net zo zouden denken als hij, Moser, en dan zouden de Totlebens van deze wereld raar staan te kijken met hun lachjes.

Hij schoof naar de punt van zijn stoel. 'Feiten en niets dan feiten, Totleben. Dat is de toekomst. Alles gaat veranderen, alles wordt nieuw. Over honderd jaar zal de mens de overtollige ballast uit het verleden van zich hebben afgeworpen en is hij zelf een feit geworden. Vraag maar aan Karsch, dat is een man van de wetenschap.'

Karsch keek naar buiten, waar zijn 'feiten' rustig deinend hun gestalte alweer verloren zodra ze er goed en wel een hadden aangenomen.

Totleben glimlachte zelfverzekerd. Zijn dromerige blik hechtte zich aan een punt boven het hoofd van de salpeterhandelaar.

'Veranderen? Er zal nooit iets veranderen, Moser. Alles blijft altijd hetzelfde, omdat alle ogenschijnlijke veranderingen niets anders dan Manifestaties van het Ene Grote Onveranderlijke Zijn.' Hij sprak langzaam en met hoofdletters.

'Er is dus niks nieuws onder de zon.' Wat hulpeloos doorbrak Karsch de stilte, hij wist zo gauw niets beters te verzinnen.

Totleben ging er nu voor zitten. Om zich heen kijkend of iedereen wel luisterde, verklaarde hij dat het nieuwe alleen maar zoveel vliegen aantrok omdat het bij zijn geboorte al niet meer wist waar het vandaan kwam en ook al niet meer wist waarom het er was. Het speet hem te zeggen dat het een onbenullig strovuurtje was vergeleken met die kracht die eeuwig en onveranderlijk alles doordrong. Hier en tussen de sterren. Niemand ontkomt eraan, iedereen is eraan onderworpen. Hij wendde zich naar Karsch. Ook de zee. Dromerig keek hij de tafel rond. Nee, de wereld werd niet door Mosers feiten geregeerd, maar door een bovenzinnelijke Eros, die zich aan het eenvoudige aardse besef van goed en kwaad onttrok. Hij is zuiver, dus onverschillig. Om Hem ging het, niet om de feiten van Moser; nee, wat over ons heerste was Zijn ijzeren wet waarmee Hij het mensdom steeds maar voortjoeg, opjoeg.

Steeds dwingender en scherper klonk zijn stem. Niemand zei hierop iets, de tweede stuurman was tussentijds opgestaan en weggelopen – hij was een godvruchtig mens – kapitein Paulsen lepelde luidruchtig zijn bord leeg.

Moser had al die tijd geïntimideerd zijn mond gehouden. Het gemak waarmee Totleben het Hogere aansneed en grote woorden in de mond nam alsof hij al hun duisternissen doorgrondde, maakte hem onzeker – als handelaar in salpeter was hij er niet aan gewend. Al een paar keer eerder was hij aan tafel kopje onder gegaan omdat hij in Totlebens ondoorgrondelijke redeneringen de weg was kwijtgeraakt. Wat hem naderhand – zo had hij bekend – daarbij steeds het meest had dwarsgezeten, was het onverwachte oproer onder de stille restanten van zijn voormalig geloof dat hij bij zichzelf had waargenomen. Toen hij in zijn jonge jaren de waarheden van de kerk had ingeruild voor de wereld van de feiten, had zijn praktische inslag de oude leerstukken niet weggegooid, maar naar de zolder van zijn geest gebracht, als een mogelijke levensverzekering waarvoor in elk geval geen premie meer hoefde te worden betaald. Nu hadden ze zich weer geroerd en met hun doctrines Totleben de mond willen snoeren. Dat was hem van zichzelf tegengevallen, als man van de feiten.

6

Ze deden Lissabon aan, waar de Posen in de monding van de Taag voor anker ging. Karsch liet zich naar de wal roeien om de ene dag dat ze er zouden blijven in de stad door te brengen. Op de valreep was Moser hem achterop gekomen. Zonder tegenspraak te dulden had hij aangekondigd dat hij

Karsch die dag gezelschap zou houden, twee zagen per slot van rekening meer dan een; bovendien sprak Moser behoorlijk Portugees, waarmee ze hun voordeel konden doen.

Karsch had toegestemd. Eigenlijk had hij zonder vast doel de stad in willen gaan, maar de salpeterhandelaar had een Baedeker uit zijn jaszak gehaald en liep bij elke bezienswaardigheid die hij op het programma had gezet hardop het commentaar van de gids voor te lezen. Bij een kerk die erin werd aangeprezen wilde hij per se naar binnen.

Karsch aarzelde.

'Waar wacht u nog op?'

Karsch haalde de schouders op. 'Ik ben niet katholiek,' antwoordde hij om er van af te zijn.

'Ik ook niet. Maar u bent toch niet bang dat u ermee besmet wordt als u daar naarbinnen gaat?'

Karsch schudde het hoofd. Geloof, dat was een stoet boeren en pachters die op hoogtijdagen met de pet in de hand bij meneer de graaf hun opwachting kwamen maken, dat betekende dagenlange familiediners met Pasen en Kerstmis en het bezoek van de geestelijke, die zijn warme hand zegenend op het hoofd van de jonge Franz legde, zich naar hem voorover boog en hem iets onverstaanbaars toefluisterde. De jongen walgde van die zachte, vochtige vingers die hem op zijn knieën leken te drukken voor een leven vol ootmoed en geestelijke nederigheid, en die niet wilden toestaan dat hij er ooit aan zou ontkomen. Als het aan de vingers lag, bleef hij kind. *Nietwaar, mijn zoon?* Omdat zijn ouders en de rest van de familie toekeken, wachtte hij gelaten tot de geestelijke zijn hand weer zou terugnemen, het was nooit in hem opgekomen uit eigener beweging op te staan. Zoiets was hem nooit geleerd. Dag in dag uit werd hem op het hart gedrukt dat hij nooit zijn zelfbeheersing mocht verliezen.

Immer Haltung, mein Jungen!

Zolang hij zich kon heugen had hij de wereld een onaangedane buitenkant laten zien. Het leven was nu eenmaal een ritueel, dat tot de dood moest worden vervuld. Iedereen die later met Karsch kennismaakte, stuitte op die muur van welopgevoedheid die hij in de loop der jaren rondom zich had opgetrokken. Of het een verdedigingsmuur of een gevangenismuur was, viel niet meer uit te maken, ook niet voor hem. In elk geval had het leven van Franz von Karsch een conformist gemaakt, die zich in niets van zijn omgeving onderscheidde. Zelfs als hij gewild had, had hij het niet gekund. Zelfs zijn uiterlijk was erdoor beïnvloed, men vergat zijn gezicht gemakkelijk. Het enige uitzonderlijke aan hem waren zijn bijna vrouwelijke handen, slank en bleek, met spitse toppen. Ze hadden de naar rozenolie geurende vlerken van een verstorven prelaat kunnen zijn, ook al omdat ze eerder oud leken te zijn geworden dan de rest van hem. Aan zijn rechter ringvinger droeg hij de uit zwarte steen gesneden zegelring van het geslacht Karsch-Kurwitz, die aan zijn tengere hand nog groter en zwaarder leek dan hij al was.

Terwijl Moser gedienstig de deur voor hem openhield, legde de salpeterhandelaar ongevraagd uit dat hij graag in kerken kwam, ook als 'de Baedeker' het niet voorschreef. Binnen was het immer koel en stil, als op een hoge bergtop.

De vergelijking stoorde Karsch, misschien omdat hij uit de mond van een salpeterhandelaar kwam. 'Of als in de diepte van de oceaan,' zei hij mopperig en had meteen weer spijt van zijn opmerking.

'U en die zee van u. Gelooft u dan in niets anders?' Mosers stem weergalmde door de kerk.

Geprikkeld door Mosers luidruchtigheid, die overal in de ruimte almaar werd vermenigvuldigd, schudde Karsch het hoofd. Afgemeten maar zonder stemverheffing zei hij: 'De zee is een natuurkundig te verklaren verschijnsel, een god is dat niet, naar men zegt. Een theoloog kan nooit de ambitie koesteren een formule voor het gedrag van zijn heer te vinden. Ik wel voor de zee.'

Moser grijnsde. 'Maar de zee *is* toch uw god?'

Het laatste woord echode door de kerk alsof het in paniek rondrende langs de muren en ramen op zoek naar een opening om eindelijk te kunnen ontsnappen aan de plek waar het zich opgesloten voelde. Rusteloos keek Karsch om zich heen, hij wilde aan de frisse lucht. De stilte, de kilte die uit de oude graven optrok, de afwezigheid van straatrumoer, het verre, bijna onhoorbare ruisen van de wind en, als je goed luisterde, ook van de zee maakten dit een plaats waar leven niet gedijde. Tot Karsch' opluchting wilde Moser de toren op, waar 'de Baedeker' hem een weids uitzicht beloofde. Karsch volgde hem.

7

Onder hen lag de stad met de rivier, verzilverd door een laat namiddaglicht. Tussen de silhouetten van de schepen, die zich donker aftekenden tegen de schittering van ontelbare golfjes, zocht Karsch de Posen, die daar in de verte ergens voor anker moest liggen. Toen hij het schip had gevonden, zag hij ook een roeibootje met een passagier aan boord – niet meer dan een zwart vlekje in de verte – dat naar de valreep van de Posen voer. Terwijl hij in de verte tuurde, naar de flonkerende watervlakte en de donkere windvlagen die de wind er overheen joeg, bedacht hij ineens hoe weinig vertrouwd de zee hem nog was, na al die jaren van studie. Al die blikkerende golfjes vormden de ringen van een ondoordringbare maliënkolder, een pantser van kwikzilver dat hoogstens voor syfilislijders heilzaam was, maar gif voor elk ander. Het was niet meer dan een verblindende buitenkant, die haar ondoorgrondelijk innerlijk beschermde, want achter al dat weerkaatste licht verschool zich niets dan duisternis. Zo was ze alleen maar blauw omdat de hemel dat was en grijs omdat de wolken dat waren... Gelaten vroeg hij zich af waarom hij dit toch zo graag in een net van formules wilde vangen, als het water toch steeds vrij door de mazen wegstroomde.

Zijn lach had iets hulpeloos.

Moser keek hem verbaasd aan. 'Valt er iets te lachen?'

'Eigenlijk niet.'

Later, toen ze op het terras van een havencafé wachtten tot ze naar de Posen zouden worden teruggeroeid – ze zouden die avond nog uitvaren – vroeg hij zich af waarom hij zich nooit thuis had gevoeld op de zwaarmoedige aarde van Pommeren, die ook 's zomers als het heet en droog was flauwtjes naar bederf rook. Dunne nevel droeg dan 's avonds zijn geur over de licht glooiende velden naar de dorpen en steden, waar hij in de straten bleef hangen en het hoofd dik maakte. Toch kon dit nooit de reden geweest zijn waardoor hij naar zee getrokken werd, want het was pas veel later dat hij de zwaarmoedigheid in het licht golvende landschap zag en opmerkte dat het op een versteende deining leek, en de doffe, grauwe aarde, die tussen je vingers verkruimelde, op lang gestorven water.

Zijn leven had vaak een vlucht geleken. Niet voor iets, maar naar iets. Hij zocht een toevlucht, een asiel, een stille, vrouwelijk geurende plek waarin alles zich in zijn roerloze heerlijkheid toonde. Tot nu toe had die zich alleen laten zien in een telkens terugkerende droom, als een wazig blauw tropisch eiland in de verte, waar ooit Jim Hawkins en Robinson Crusoë goud en geluk hadden gevonden.

Om het te vinden had hij zee moeten kiezen.

Hij had ook naar het slagveld kunnen gaan en wachten op dat ene schot waardoor hij op een nevelige najaarsochtend zou worden getroffen. Maar dat was nu uitgesloten. Niet omdat hij te oud was om te dienen, er waren andere redenen, waaraan hij niet graag werd herinnerd. Om ze te verjagen dacht Karsch terug aan de zomer toen hij als kind van vijf zijn eerste reis naar zee had gemaakt. Een maand eerder was hij ziek geworden. Het was begonnen met een hinderlijke uitslag die zich geleidelijk over heel zijn lichaam had verspreid. Later ontstonden zwellingen in zijn ontstoken huid die ondraaglijk jeukten. Lopen kon hij nauwelijks meer, zijn oogleden waren zo opgezet dat hij amper meer iets zag. 's Nachts werd hij door vuurdemonen bezocht die zijn lichaam in hun hete omarming leken te verteren als een vlieg in de zonnedauw en hem stukje bij beetje opsloten in zijn almaar opzwellende vlees.

Een specialist in Berlijn had de jongen medicijnen voorgeschreven en dagelijks drie onderdompelingen in zeewater. De gravin von Karsch-Kurwitz reisde daarop met haar zoon en het kindermeisje naar Rügen.

Het kind was nog nooit aan zee geweest. Toen hij in een kar het strand werd opgereden, kon hij er, blind door zijn ziekte, niets van zien; wel hoorde hij een geheimzinnig ruisen, dat op de ademhaling van een groot schepsel leek dat vanuit het water de jongen gadesloeg. Het moest vlakbij zijn, want zijn koele ademtocht streek onderzoekend langs het gloeiende kinderlichaam.

Het kind was gespannen.

Behoedzaam werd het uit de wagen getild en naar het schepsel toe gedragen.

Het ruisen zwol aan. Franz werd op het strand gezet waar hij rillend bleef staan, blind door zijn ziekte, niet wetend wat er van hem werd verlangd.

Een ongeduldige hand dwong hem verder te lopen. Struikelend, maar net niet vallend gehoorzaamde hij. Koud water steeg langs zijn benen op en passeerde zijn huiverende schaamstreek. Voor hij er erg in had werd hij met zijn hoofd onder water geduwd. Het was alsof hij werd opgeslokt. In doodsangst sloeg hij wild om zich heen, het water dat hij binnen kreeg smaakte hem naar bedorven vis. Kokhalzend sloeg hij de handen van zich af, huilde en schreeuwde en probeerde kruipend op handen en voeten het droge te zoeken. Telkens als hij er was, werd hij teruggeduwd.

Zijn moeder verloor haar geduld en gelastte het kindermeisje met hem het water in te gaan. De jongen stevig tegen zich aandrukkend liep het meisje het water in. Toen ze rilde van het koude water, waardoor haar greep even verslapte, merkte ze de paniek in zijn lichaam. Ze drukte hem nog steviger tegen zich aan, zodat hij zich amper bewegen kon, en fluisterde hem ondertussen lieve, sussende woordjes in het oor. Ze zong een strofe, zei de eerste regel van een sprookje – *Er was eens een grote jongen en een arme prinses...* – zong een andere strofe, zei onzinrijmpjes op die op de warme stroom van haar adem als donzige ballen om hem heen leken te dansen.

Aarzelend ontspande hij zich. Terwijl ze voorzichtig verder de zee in waadden, sloot het water zich om hen beiden. De jongen voelde het hart van het meisje tegen zijn lichaam, zijn angst maakte plaats voor gelatenheid, zijn wil vloeide weg. Het water leek hem op te tillen, hij voelde zich niet meer de jongen die hij altijd was geweest. Hij werd licht.

Na verloop van tijd slonken de zwellingen en ten slotte verdwenen ze geheel, zonder littekens achter te laten. Na drie weken was de jongen al weer zover hersteld dat hij over het strand kon rennen en met andere kinderen in het zand speelde. Soms hield hij abrupt op met zijn spel en keek hij schijnbaar in gedachten verzonken naar zee. Maar hij ging het water niet in.

De dagelijkse onderdompelingen waren van begin af aan een onbegrijpelijk ritueel geweest en dat bleven ze toen hij geleidelijk aan beter werd, maar zijn angst veranderde in een verlangend uitzien naar het moment dat ze naar het strand zouden gaan. Het geheimzinnig genot om het wonderlijk ronde lichaam van het oudere meisje tegen zijn harde, nog schonkige rug te voelen en haar sterke armen om zijn buik, riep een onbestemd gevoel van opwinding bij hem op, maar er was ook schaamte, omdat hij al wel wist dat deze opwinding verboden was en misschien wel zijn genezing in de weg stond. In een angstige periode dat er even sprake was van een terugval verbood hij zich om zich er aan over te geven. Hij balde zijn vuisten, spande al zijn spieren en bad dat hij niet meer zou opzwellen. Veel later, toen hij ouder werd, dacht hij er nog wel eens aan terug, maar hij bleek toen nog niet in staat het kinderlijke verbod op opwinding op te heffen. Geleidelijk werd het verdrongen omdat hij meisjes had leren kennen die niet verboden waren en geen schaamte opriepen, maar ze kwamen nooit zo dicht bij hem als destijds het kindermeisje aan het strand, waardoor er in zijn verhouding tot vrouwen veel onvervuld bleef.

Op de dag dat ze naar Kurwitz zouden terugkeren, ging hij nog eenmaal naar de vloedlijn en streek met zijn vlakke hand over de golfjes die op het strand doodliepen, alsof hij ze vriendelijk wilde stemmen, maar voor hij ze had kunnen aanraken, hadden ze hun vorm al weer verloren. Ten slotte gaf hij zijn pogingen op, tot hij vijfentwintig jaar later voor het eerst met zijn instrumenten scheep ging om te doorgronden wat hem had genezen.

Plotselinge narrigheid deed Karsch opveren. Er bestond geen verband tussen de reis naar Rügen en zijn keuze voor de hydrografie. Hij dwong zijn gedachten terug in het heden. Met een bruusk gebaar poogde hij het verleden van zich af te schuiven, waarbij hij zijn koffie van tafel in de schoot van een tengere man veegde die aan het tafeltje naast hen zat en al die tijd in gedachten naar de Taag had zitten kijken. Karsch sprong op, verontschuldigde zich in het Frans en zocht naar zijn zakdoek. Moser had de zijne al gevonden en begon de broek van de Portugees droog te deppen, wat de man verlegen probeerde te verhinderen. Een ober snelde toe en depte de andere broekspijp. Over de ruggen van de gebukte mannen keken de Portugees en Karsch elkaar hulpeloos aan.

Moser dook op van de broek en zei dat hij Moser heette. De Portugees glimlachte niet begrijpend.

'En dat is de graaf von Karsch,' vervolgde Moser, naar zijn gezelschap wijzend.

Gegeneerd door zijn bevlekte broek en de opdringerigheid van de salpeterhandelaar zocht de Portugees de Taag af, die blikkerend in zijn brilleglazen weerkaatste. Het was alsof hij van de rivier een gelegenheidsnaam voor zichzelf verwachtte waarmee hij zich zou kunnen voorstellen, zodat hij beleefd kon zijn zonder iets over zich te hoeven onthullen. Toen hem niets te binnen schoot, lachte hij verlegen, maakte een houterige buiging en vluchtte met wapperende jaspanden uit het lokaal.

'*Senhor* de Campos wordt het liefst alleengelaten,' verontschuldigde de ober zijn klant. 'Mijnheer zit hier vaak. Hij kijkt naar matrozen. Ik denk dat hij zelf graag naar zee was gegaan, maar iemand met zulke dunne benen kan toch nooit matroos worden. Dacht u ook niet?'

Moser nam een stukje dichtgevouwen papier dat de Portugees had laten liggen.

Al vertalend las hij langzaam: '*Ik ben niets. Ik zal nooit iets zijn. Ik kan ook nooit iets willen zijn. Afgezien daarvan koester ik alle dromen van de wereld.*'

Toen ze naar de Posen werden geroeid, herhaalde Karsch de notitie van *Senhor* de Campos in stilte voor zichzelf.

'Ik ben niets..., maar afgezien daarvan koester ik alle dromen van de wereld.' Het eerste deel was misschien wel op hemzelf van toepassing, het tweede niet en dat speet hem.

8

Anderhalve dag later, ter hoogte van de vijfendertigste breedtegraad, kwam Moser met opgestoken zeilen op Karsch af, die met zijn instrumenten aan dek was verschenen.

'Wist u dat er in Lissabon een nieuwe passagier aan boord is gekomen?' vroeg hij, verontwaardigd dat men hem daarover niet had ingelicht.

Karsch schudde het hoofd, hij had geen nieuw gezicht aan boord gezien.

'Toen wij van ons uitstapje terugkwamen, zag ik de matrozen met een hutkoffer slepen,' legde Moser uit. 'Een mooie koffer was het, met leer bekleed en met beslag op de hoeken en volgeplakt met etiketten van hotels en scheepvaartmaatschappijen uit de hele wereld. Ik vroeg van wie hij was, maar de matrozen wilden alleen kwijt dat ze de koffer naar hut zeven moesten brengen. Waarschijnlijk was hij van een nieuwe passagier of misschien wel van twee passagiers, de hut is daarvoor groot genoeg.'

Karsch herinnerde zich de sloep die ze in Lissabon vanaf de toren naar de Posen hadden zien varen. Tegenover de roeier had iemand gezeten, een rijzige gestalte, zwart afgetekend tegen de kwikzilverige schittering van de zee. Als hij achterom had gekeken – en waarom ook niet, hij ging op reis en wat is er voor reizigers natuurlijker dan bij hun vertrek nog eenmaal om te zien? Achterom kijkend naar de stad die hij achter zich liet, had hij op de omgang van de kerktoren een gestalte in licht tropenkostuum kunnen waarnemen. Misschien had hij zich een moment lang afgevraagd wie dat kon zijn die daar op de toren stond, waar het panorama weinig meer bood dan uitzicht op zee. In een flits van bovenzinnelijke helderheid had Karsch de zekerheid dat de gestalte in de roeiboot hem had waargenomen. Hoe onbeduidend het voorval verder ook was, het was een absurd geluk te weten dat iemand hem had gezien, iemand die – al was het maar voor even – een gedachte aan hem had gewijd.

Daar staat iemand, daar op die toren. Hij ziet mij. Hij denkt... Wat zou hij denken?

'Op de koffer stond alleen een grote, witte 'M' geschilderd,' hoorde hij Moser naast zich zeggen. 'We mogen dus aannemen dat de achternaam van onze vriend met een m begint.' Hij was van plan de zaak grondig uit te zoeken.

Karsch knikte afwezig.

Die dag had hij geen enkele waarneming gedaan. De golven die hij had gezien kon hij desnoods dromend volgens de regels van zijn wetenschap beschrijven, ze waren hem allemaal vertrouwd, maar hij had er weinig zin in. Eerlijk gezegd lieten ze hem koud. Morgen zou dat anders zijn. Het weer was dan vast ook beter dan nu. Hij kon zijn fotografische platen beter sparen.

Intussen vond Moser het ongehoord dat 'onze vriend' nog niet uit zijn hut was gekomen om zich aan hem voor te stellen en daarna met de salpeterhandelaar over het dek te wandelen ten einde bijvoorbeeld over de geneeskundige waarde van de

Kneipp-kuur te debatteren of de wenselijkheid van een wereldtaal te bespreken of de vraag op te werpen of vegetariërs eieren aten, dan wel zich af te vragen waarom de Fransen niet van de muziek van die Richard Wagner hielden, waar je zoveel over hoorde, of waarom de Fransen eigenlijk wél van de muziek van die Richard Wagner hielden en of eerder genoemde vegetariërs eigenlijk wel goede patriotten waren en hoe het dan mogelijk was dat die Richard Wagner vegetariër was geweest...

Karsch hoopte voor Moser dat de nieuwe passagier spoedig aan dek zou verschijnen, zodat hij met de socratische salpeterhandelaar kon ingaan op de vragen waardoor deze tijdens zijn dekwandelingen was besprongen.

Totleben, die hun gesprek gevolgd had, legde zijn lectuur terzijde en stond op uit zijn dekstoel.

'Weet u soms meer over M?' vroeg Moser bijna beschuldigend.

Totleben haalde zijn schouders op en zei dat kapitein Paulsen de enige was die alles wist.

'Daar ben ik al geweest,' zei Moser, 'maar die doet alsof hij van niets weet. Je weet hoe hij is, de sfinx. Maar ik – hij wees op Totlebens borst – ik wéét dat er iemand aan boord gekomen is.'

'Uw vergelijking gaat mank,' merkte Totleben minzaam op. 'Kapitein Paulsen is geen sfinx. De sfinx gaf geen antwoorden, ze stelde de vragen.'

'Maar waarom eigenlijk?' sputterde Moser. 'Zij moet het goede antwoord al gekend hebben, want anders had je haar wel van alles kunnen wijsmaken.'

Totleben glimlachte. 'Zo gaat het op school, maar de sfinx hoefde niet te weten of Oedipus zijn les kende, daarvoor hadden de goden haar niet op die plek neergezet. Het ging erom te weten of Oedipus inzicht in zijn sterfelijkheid had. Wie dat niet bezat, leed aan hoogmoed en verdiende de afgrond. Wie zichzelf kende, liet ze lopen, de dood zou hen toch wel halen. Snapt u?'

Achterdochtig gluurde Moser naar zijn gezicht om te zien of hij soms voor de gek werd gehouden. 'En u, Totleben, kent u uzelf zo goed dat u zo'n sfinx in de ogen durft te kijken?'

'Sfinxen bestaan niet.'

Snuivend wendde Moser zich weer tot Karsch en wilde weten of hij soms iets van de aanwezigheid van 'M' gemerkt had, per slot van rekening had hij de hut naast de zijne.

Karsch schudde het hoofd. Hij had wel een dienblad met een vuil bord bij de deur zien staan. 's Nachts was hij een keer wakker geworden omdat hij had gemeend iets te horen, wat vrijwel onmiddellijk weer was verstomd. Dat was alles geweest.

9

Meer uit tijdverdrijf dan uit wetenschappelijke belangstelling maakte Karsch foto's van de fraaie wolkenluchten. Hij zette er af en toe voor de aardigheid delen van het schip op om de compositie te verbeteren, iets wat hij anders nooit deed. Toen hij de platen opborg, nam hij niet de moeite plaats, tijd, luchtdruk, lengte- en breedtegraad vast te leggen, waardoor ze voor wetenschappelijk werk onbruikbaar waren geworden.

Daarna ging hij in een dekstoel liggen.

Er bestond een verveling die zich van ander nietsdoen onderscheidde doordat je je haar de rest van je leven bleef herinneren. Karsch was ermee vertrouwd, het zat bij hem in de familie. Zijn oude tantes hadden aan dezelfde soort *ennui* geleden als hij. Nu hadden ze in tegenstelling tot hun neef nooit iets uitgevoerd, aangezien ze reeds vroeg tot het inzicht waren gekomen dat al het menselijk streven ijdel was. Sindsdien vulden ze de hatelijke leegte in hun bestaan met een bigot geloof dat hetzelfde inzicht leerde.

'Ik ben al lang als zij geworden,' dacht Karsch uren later, toen hij in de schemer aan dek een luchtje ging scheppen. De trots waarmee hij acht jaar geleden zijn eerste verhandeling in *Die Annalen der Hydrographie und maritimen Meteorologie* had opgeslagen, had zijn glans al lang verloren. Hoewel hij het aanvankelijk niet besefte, had er zich niet lang na die eerste publicatie een dofheid in hem verspreid die hem dan wel niet het gezicht op de wereld had benomen, maar wel alles wat daarvoor eenvoudig was geweest tot een opgave had gemaakt. Toegegeven, geen zware opgave, maar hij had wel steeds het gevoel gekregen dat hij over een hek moest springen, deuren moest openen, gordijnen moest opzij schuiven om weer te kunnen doen waartoe hij vroeger altijd moeiteloos in staat was geweest. Zijn geest had ineens een bril nodig, die altijd wel ergens rondslingerde – zij het nooit op de plek waar hij hem nodig had.

In die tijd had een vroegere medestudent, die zijn studie eraan had gegeven en bij een grote werf in Bremen was gaan werken, Karsch tijdens een bijeenkomst van hun 'jaar' zelfverzekerd uitgelegd dat de zee hem niet langer interesseerde. Het was alsof je geloofde dat je door het bestuderen van de postzegel achter de inhoud van de brief kon komen. Ha, ha! Misschien had de medestudent daarin wel gelijk gehad, al had Karsch het hem niet gegund. De punten van zijn snor hadden daarvoor te triomfantelijk omhoog gewezen en de duimen te zelfverzekerd in de armsgaten van het vest gehangen. Maatschappelijk gezien had de studiegenoot al het gelijk aan zijn kant gehad, het ging hem goed, maar Karsch had zich geërgerd aan de neerbuigende manier waarop hij zich over het onderzoek had uitgelaten waaraan hij, Karsch, destijds had gewerkt. Het blote feit dat men op een schip uitvoer om iets te willen onderzoeken, iets te weten te komen, had bij de studiegenoot slechts een meewarig schouderophalen opgeroepen. Karsch had een plotselinge paniek gevoeld, als iemand die om zich heen kijkend merkt dat hij helemaal alleen is en de weg terug niet kan vinden. Kon het zijn dat het weinige dat hij in zijn carrière had nagestreefd geen betekenis had gehad? Moest het weten de mens dan *altijd* vooruit helpen, naar die heerlijke toekomst die zijn snor opdraaide en de duimen in de armsgaten stak? Waar leidde zijn onderzoek de mensheid eigenlijk heen? Had bijvoorbeeld iemand als Moser dan toch gelijk dat deze wereld er een van de feiten was geworden, een van staal en ijzer, waar geen plaats meer was voor tot niets verplichtende inzichten?

Humeurig had Karsch deze vragen de rug toegedraaid en zich ertoe gezet zijn onderzoek te zien als iets voornaams, dat boven de platvloerse wereld van reders en scheepsbouwers uitsteeg, omdat het hem onvermoede samenhangen in de natuur openbaarde die niet zomaar door iedereen waren te doorgronden. Er was zelfs een zekere geestelijke onthechting voor nodig om dat element te kunnen begrijpen. Niet iedereen kon dat opbrengen. Natuurlijk, je kon er met slordig in elkaar geklonken stoomboten overheen varen, de ruimen vol met ingeblikt vlees, maar welk inzicht kon je daaraan ontlenen?

Geen enkel.

De zee was het enige deel van de wereld dat nog niet uitputtend was beschreven, wie dat op zich wilde nemen was nog vrij, hij mocht zijn intuïtie volgen, zijn fantasie gebruiken om er de weg vrij te maken voor volgende generaties. Voor dat alles had je een schitterende geest nodig en die had Karsch niet. Degelijke middelmaat was zijn klasse. In niets uitzonderlijk, altijd een aanvaardbaar gemiddelde: dat zijn leven zich daar nooit van los zou kunnen maken wist hij al lang.

Neem nu Augusta.

In de zomers van zijn jeugd woonde ze met haar broer en ouders in een wit houten huis in Beieren, op korte afstand van dat van de familie Karsch. De jongen Franz had weinig oog voor haar, meisjes telden niet als je nog in een boom moest klimmen of met haar broer Siegmund – 'Sigi' – beken wilde afdammen. Augusta nam het hun niet kwalijk. Na enkele zomers merkte Franz dat er in haar houding iets veranderd was, het kon ook zijn dat het al eerder was gebeurd en het hem nu pas was opgevallen. Hoewel ze een jaar jonger was dan hij, leek het alsof ze op raadselachtige wijze deze achterstand in een voorsprong had omgezet. Ze kon ernstig zijn als een volwassene en peinzen alsof iets van wezenlijk belang haar geest in beslag nam. Hoewel hij wist dat ze niets voorwendde, ergerde Franz zich aan haar, tegelijk raakte hij ook telkens geïntimideerd door haar afstandelijkheid. Dat veranderde toen hij 's middags eens te vroeg via de terrasdeuren bij de familie Levinson naar binnen liep om Sigi op te halen. Er was nergens iemand. Uit de zijkamer klonk een piano. Porseleinen beeldjes dartelden en joegen elkaar na op het buffet, iets onuitsprekelijk lichts vulde het vertrek, alles leek te dansen op de muziek van Augusta's vingers. Tinkelend stegen de trillers en loopjes op uit de statige zwarte kist.

Verlegen keek Franz naar de frêle gestalte van Augusta, die in haar wit linnen zomerjurk achter de grote Blüthner-vleugel zat en gedecideerd haar rug recht hield en haar vingers strak gespreid om de octaven te grijpen. Franz had daar wel eens met Sigi gezeten, giechelig met half openhangende mond, de zever op de lippen, beukend met armen en vuisten omdat ze niet wisten wat de toetsen betekenden; hun vernietigende kakofonie had scheuren in de muren achtergelaten en had het glas laten rinkelen. In een machteloze orgie hadden ze alle muziek vernield die ooit in de salon had geklonken. Bonkend en hamerend verbrijzelden ze al die kanten sonatines en menuetten die ooit ijl door de ruimte hadden gepareld en de jongens grof en klonterig hadden doen lijken. Augusta had met de vingers in de oren en woedend geschreeuwd dat ze ermee op moesten houden, wat voor de jongens een aansporing was om zich nog eens op de vleugel te storten.

Zoals ze daar nu zat en speelde – pas later leerde hij dat het iets van Clementi was geweest dat hij daar had gehoord – wist hij al dat hij zoiets nooit zou kunnen. Hij had thuis wel eens iets geprobeerd op de oude, ontstemde tafelpiano van zijn grootvader, maar zijn geest bleef radeloos boven de toetsen hangen, niet in staat tot enige muziek. Hij had geen talent. Niet voor muziek, niet voor sport of paardrijden. Voor niets. Niet dat hij daar onder leed, bijna iedereen die hij kende was talentloos, of hoogstens middelmatig. Men was het er in de salons algemeen over eens dat het iets verkwistends had goed piano te kunnen spelen of mooi te kunnen tekenen, omdat de samenleving in de toekomst wel wat anders van je verwachtte dan pianospel. Franz' moeder – die anders nooit een mening had – vond de Levinsons ook geen goede omgang voor haar zoon, omdat ze liberale ideeën hadden en aan kunst de voorkeur gaven boven orde en plicht. Dat laatste woord was altijd het toverwoord van zijn jeugd geweest; een woord van zwart ijzer, speciaal gegoten voor de familie Karsch-Kurwitz in de mallen van de traditie. De tantes en de grootmoeder hadden het er al tegen hem over toen hij nog maar net kon lopen en hadden het hem op hun sterfbed met hun laatste adem meegegeven. Zijn vader was het woord uit de weg gegaan, het paste ook slecht bij de vlinders die hij verzamelde. Besnorde ooms lieten het weer dof opglanzen als hun missie in de wereld ter sprake kwam en hun borst zwol, hun blik de verte zocht en de gesprekken verstomden.

Plicht.

Onwillekeurig dacht Karsch aan de minnaars die zijn moeder erop na had gehouden en voelde een leegte over zich komen waartegen hij weerloos was.

Maar hij was nog immer hydrograaf.

Plicht.

Hij schrok op uit zijn gemijmer. Totleben was naast hem komen zitten.

'Weet u eigenlijk wat we vervoeren?' vroeg de leraar met zijn aangename stem.

Karsch schudde het hoofd.

'Ik ook niet, maar ik ben er niet gerust op,' zei Totleben. Met een verontschuldigend gelimlachje legde hij uit dat hij had gedroomd dat de Posen louter stenen vervoerde. Geen bakstenen, maar grote, zwarte basaltblokken. Stenen. Hij wist het, het klonk onzinnig, maar dat was nu juist het verontrustende eraan, de onzinnigheid. Welk schip vervoerde nou basaltblokken naar een land waar ze er zelf meer dan genoeg hadden?

'Dromen zijn altijd onzinnig,' zei Karsch schouderophalend.

Totleben schudde het hoofd.

'Gelooft u dan dat dromen u de toekomst voorspellen?' vroeg Karsch spottend.

'Nee, nee, dat niet. Ik ben niet bijgelovig. Maar ik weet evenmin wat ze wél tegen me zeggen. U?'

Karsch schudde het hoofd.

'En dat vindt u niet vreemd?' informeerde Totleben. 'Dat er zich beelden en stemmen in uw hoofd bevinden die niet de uwe zijn en waarvan u niet eens weet wat ze betekenen?'

Karsch moest toegeven dat hij daar nooit zo over had nagedacht. De grote Goetz Wyrow, de *arbiter elegantiarum* van zijn studietijd, had eens grijnzend gezegd dat hij helaas nooit de liederlijke wellusteling kon zijn waarvoor hij werd versleten omdat zijn dromen – niet dat het hem niet had gespeten – tot nu toe altijd, dag en nacht, kuis waren geweest.

'Ik vind dat wel vreemd,' zei Totleben.

Karsch gaf geen antwoord, hij wist niet of hij Totleben wel mocht.

'Nu ja, u stelt zich weer andere vragen,' zei de leraar inschikkelijker, toen de ander bleef zwijgen. Hij glimlachte toegeeflijk. 'U weet bijvoorbeeld hoe het daar in de diepte is.' Hij wees naar de zee. En toen Karsch nog altijd niet antwoordde: 'Zout water vol slijmerige beesten, dat weet ik ook wel, maar wat nog meer?'

De hydrograaf rekte zich uit. 'Geen licht. Geen warmte. Geen geluid.'

Totleben knikte, alsof hij dat altijd al had geweten. 'Ik houd niet van de zee. Ik was liever naar Valparaiso *gelopen* als dat mogelijk was geweest.'

'Wie zegt dat ik van de zee houd?' Het klonk Karsch nog wat onwennig in de oren; kennelijk zei hij tegenwoordig dergelijke dingen.

Totleben fronste zijn wenkbrauwen. 'Maar u staat dat daar toch allemaal op te meten en te fotograferen?'

'En dat is liefde?'

'Wat is het dan?'

Ballingschap wellicht. Karsch zweeg.

Totleben tuurde naar de zee, die vuurrood glansde in het laatste licht van de zon. 'Al die almaar oplichtende en dovende glinsteringen,' zei hij nadenkend. 'Alsof het leeft, met ons de wereld deelt, maar steeds volstrekt onverschillig jegens ons is. Zoals ooit de goden van de ouden.'

'Poseidon?' vroeg Karsch na enige tijd, toen de stilte hem onaangenaam werd.

Geprikkeld schudde Totleben het hoofd. 'Welnee, Aphrodite, natuurlijk. *Zij* was de godin van de zee, niet die Poseidon, niet die ongelikte beer met zijn mestvork.'

'Ach, nee toch...' Karsch draaide zich om en wandelde humeurig naar de achtersteven.

Na een korte aarzeling kwam de huisleraar hem achterop. Er stonden zweetdruppels op zijn voorhoofd. In tegenstelling tot de anderen aan boord droeg hij geen tropenkleding. Het kon zijn dat hij die niet bezat.

Op de achtersteven volgden ze de vlucht van een stormvogel. Bij het opdienen van het ontbijt had de kok, een bleke Aalander met armen vol tatoeages, hen verteld dat stormvogels de zielen van omgekomen zeelieden bezaten, die in hun zeemansgraf geen rust konden vinden. Bij het afruimen was hij over de Hollander begonnen, die hij bij het opdienen had vergeten te noemen – want hij was de heer van de stormvogels, als je het zo kon zeggen. Hij was, Joost mocht weten waarom, door de duivel vervloekt. Die Hollander zou pas van zijn eeuwigdurende zwerftocht worden verlost als een vrouw zich uit liefde voor hem zou opofferen. De Aalander bekeek zijn bleke gezicht in de opscheplepel, waar het nog boller was dan anders. Terwijl hij het eten ronddeelde zei hij dat ook hij vervloekt was. Hij was nu al zijn hele leven op zee en nergens was er een vrouw te vinden die hém kon verlossen. Daarop had hij de lepel afgelikt.

Totleben wees naar de Duitse rijksvlag die aan de ondergaffel hing.

'Kijk,' zei hij spottend, 'we hebben niet alleen dode zeelui aan onze staart hangen, we varen ook onder de vlag van de dood. Rood is de doodskleur van de oude volkeren, voor de Grieken is dat wit en voor de brave christenen het zwart. Dat is driemaal de dood in één vlag.'

'Wat wilt u daarmee zeggen?' vroeg Karsch korzelig. Hij was geen geestdriftig patriot, maar voelde zich altijd onzeker wanneer het land van zijn herkomst in staat van beschuldiging werd gesteld. Over Duitsland verdroeg hij geen onzekerheid. 'Houdt u soms niet van Duitsland?' vroeg hij.

'Ik houd erg veel van Duitsland,' antwoordde Totleben, 'maar Duitsland niet van mij.'

'Waarom niet?'

'Dat is iets tussen mij en Duitsland.'

In ballingschap gestuurd. Karsch probeerde er een passende reden voor te verzinnen, maar wist niets anders te bedenken dan dat Totleben misschien een landverrader moest zijn, of een deserteur, of iets nog minderwaardigers, en dat hij daarom door de weldenkende burgerij was uitgespuugd.

Tot zijn verwondering zag hij zich Totleben bemoedigend op de schouder kloppen. 'Kop op, er zijn nog meer landen op de wereld.'

10

Aangestoken door Mosers nieuwsgierigheid luisterde Karsch die avond in bed of hij geluiden van 'M' kon opvangen, maar hij hoorde niets. Alleen het wezenloze gekabbel van de golfjes tegen de scheepswand. Verveeld wachtend op de slaap verwonderde hij zich erover dat de zee ook ruiste als er geen wind was.

Toen hij de volgende ochtend over het dek wandelde, herinnerde hij zich weer waarmee hij in slaap was gevallen. Geïrriteerd probeerde hij de onbenullige kwestie van zich af te zetten, maar hij kon zijn gedachten niet op iets beters concentreren en de vraag bleef pesterig doordreinen op de achtergrond, daarbij aangemoedigd door het geruis van de zee.

Uit gemelijkheid legde hij de vraag voor aan Moser.

'Misschien heeft ú er een verklaring voor. U bent immers een man van de feiten en niemand kan ontkennen dat het hier om een feit gaat.' Zijn ironie bleef onopgemerkt.

Moser, die zich tot dan had beziggehouden met de 'kwestie M', zoals hij het uitdrukte, hoefde niet na te denken. Ruisen was nu eenmaal een eigenschap van de zee. Een abstracte, wel te verstaan. Een zee *hoort* te ruisen. Wind speelt daarbij geen rol. Moser was dan wel in een havenstad opgegroeid, maar hij had ook enkele jaren in Wenen gewoond, waar niemand de zee ooit had gezien. Daar kenden ze hem alleen maar uit hun romannetjes, waarin hij natuurlijk altijd ruiste of bulderde of wat al niet. Een geluidloze zee bestond niet. Die onaardse, olieachtige gladheid die het water soms kon hebben, die kon je een Wener of een Berlijner toch niet aan het verstand brengen? Nietwaar? Ruisend en bruisend moet hij zijn, anders is een zee geen zee. Zo zat het.

Toen Karsch niets terug zei, vervolgde hij bespiegelend: 'Alles wordt abstracter – Moser hield van dat woord. Neem mij nou. Ik handel in salpeter. Je kunt het niet eten, je kunt er niet in wonen, je kan er niet op zitten of er van houden. Het is poeder. Het is een schoolvoorbeeld van modern zaken doen, want alles wat waardevol is, wordt steeds abstracter. Let op mijn woorden, over honderd jaar is salpeter verouderd, dan heeft iets alleen nog maar waarde als het niet meer stoffelijk is. Dan handelen ze in zaken die niet meer dan een velletje papier zijn. Het vergaren van rijkdom wordt een steeds abstracter bezigheid. U bent ouderwets, Karsch, u met uw magische formules. U zoekt de steen der wijzen, u probeert net als wijlen keizer Caligula de zee de baas te worden. U bent een mens van gisteren, Karsch. Ha! Ha! U denkt dat u macht over iets heeft als u er een naam of een formule voor heeft gevonden. Dat is naïef. Voor een kok is de zee vissoep, voor een kapper zitten golven in het haar. Zo simpel is de wereld.'

Tevreden over zijn geestigheid stak hij een sigaartje op.

Karsch ging in de hangmat liggen en dacht na over wat Moser gezegd had. Louter kromme redeneringen die eigenlijk maar één ding hadden willen uitdrukken: het gaat er niet om een waarheid te formuleren, het was voldoende iets te verzinnen dat als zodanig kon dienen.

Misschien dat Karsch zich deze reis alsnog moest inspannen om tot een waarheidsgetrouwe beschrijving te komen van wat zich daar aan de andere zijde van de reling afspeelde, al was het alleen maar om de zelfingenomen salpeterhandelaar terecht te wijzen. Als hij zijn werk in de steek liet, zou hij ergens met iets opnieuw moeten beginnen, want een terugkeer naar Pommeren en de bleke bruid, die hem daar hoe dan ook wachtte, was uitgesloten. Wilde hij leren leven volgens Mosers vluchtige principes dan zou hij veel, zo niet alles moeten loslaten wat hem dierbaar was.

Dus niet langer de steen der wijzen zoeken, maar vergeestelijkte salpeter.

11

De Posen bereikte het gebied van de grote windstilten, dat de Engelsen *doldrums* noemen. De golven verloren er hun schuimrand en verdwenen daarna zelf ook, om plaats te maken voor de lange deining, die het grote schip met de dood neerhangende zeilen op zijn rug meenam naar het zuiden.

M. had zich nog altijd niet laten zien.

Schouderophalend had kapitein Paulsen daarover opgemerkt dat hut zeven, die de nieuwe passagier was toegewezen, kennelijk geen gezelschap zocht. Daarmee had de zaak voor hem afgedaan.

Karsch liet een sloep uitzetten om het nu vrijwel stil liggende schip te fotograferen. Moser en Totleben bleven aan boord, ze voelden zich niet op hun gemak in zo'n klein bootje, dat zich van het schip zou verwijderen en vervolgens door een nog onverklaard natuurverschijnsel niet meer in staat zou zijn terug te komen. Totleben huiverde. De zee was onbetrouwbaar, dat wist iedereen, de matrozen, de meeuwen, zijzelf en miljoenen anderen.

Lachend liet Karsch zich wegroeien. Op vijftig meter van het schip gloeide er een flauwe kramp op in zijn hartstreek. Wat als de golven hen inderdaad zouden wegvoeren en de Posen aan de horizon zou verdwijnen? Hij hield zijn adem in, spitste zijn oren, maar er was geen ander geluid dan de stilte van de eerste dag, er was geen vogel die hen volgde, aan de hemel hingen wolken zonder doel. De zee was glad en dof, alles was overal in diepe rust. Een lange, lome golf, traag als de rustig ademende borst van een slaper, tilde het bootje op en liet het daarna in het dal glijden, waardoor de romp van de Posen aan het oog werd onttrokken en alleen de masten nog boven het water uitstaken.

Karsch richtte zich op van zijn fototoestel.

'Vreemd,' zei hij en vroeg de verrekijker van een van de matrozen. Toen hij hem weer liet zakken, moest hij lachen en gaf hem aan de matroos, die op zijn beurt naar het schip keek en ook lachte.

'De vrouw,' zei hij tegen Karsch.

'De vrouw?'

'Ze is blond,' zei de matroos.

'M?'

'Hoe ze heet, weet ik niet, maar ze is blond.'

Verbluft staarde Karsch naar de gestalte die aan de reling van de Posen was verschenen. Geen moment had hij er rekening mee gehouden dat M. wel eens een vrouw zou kunnen zijn. Waarom ook? Wat had een vrouw alleen – was ze eigenlijk wel alleen? – op een schip naar Valparaiso te zoeken? Waarom wil iemand eigenlijk naar Valparaiso? Ja, Moser voor zijn salpeter en Totleben voor zijn gymnasium... Goed, het kon ook zijn dat ze alleen maar naar Rio de Janeiro wilde of naar een andere haven die ze onderweg misschien nog zouden aandoen.

Toen Karsch zijn fototoestel inpakte, merkte hij dat zijn handen beefden. Hij was opgewonden. De reis leek ineens een nieuw vertrek te hebben gekregen. Het was alsof de onbekende niet in Lissabon aan boord was gekomen, maar dat ze hier, midden in de windstilten, door een hand uit de hemel op het dek van de Posen was gezet, zoals je een dame op het schaakbord zette nadat een van je pionnen de achterlijn had gehaald.

12

Moser stond Karsch opgewonden bij de valreep op te wachten.

'Hij is een vrouw, Karsch!' riep hij al van ver. Hij was buiten zichzelf. 'Hij is een vrouw!'

'Dat weet ik. Ik heb zelfs een foto van haar.'

Het duurde even voordat de salpeterhandelaar hem begreep.

Karsch keek om zich heen. 'Waar is ze nu?' vroeg hij.

'Waarschijnlijk weer in haar hut.'

Karsch was teleurgesteld.

Moser veerde op. Breedvoerig schilderde hij hoe hij met haar had kennisgemaakt. Ze had zich voorgesteld als Asta Maris en bleek uit Nederland te komen.

'Maar ze woont daar allang niet meer,' liet hij er meteen op volgen, alsof hij vanzelfsprekend al op de hoogte was van de details van haar bestaan.

Toen Karsch doorvroeg, bleek hij nauwelijks meer van haar te weten dan dat, maar hij had ten minste oog in oog met haar gestaan. Al had ze hem geen hand gegeven, ze had hem wél toegeknikt, haar naam genoemd en op zijn verzoek haar nationaliteit onthuld. Vervolgens had Moser zich aan de schoonheid van haar ogen gewijd.

'Blauw, Karsch, zo blauw...' jubelde de salpeterhandelaar. 'O, zulk blauw heb ik nog nooit eerder gezien. Porseleinblauw, dat is zeker. Delfts blauw in haar geval. Ha, ha. U bent nooit getrouwd geweest, hè Karsch? Ik wel, ik heb een zoon. Wil musicus worden. Nota bene. Snapt u zoiets? Ach, personen als *madame* Maris treft men helaas maar zo zelden in het leven dat het niet loont op hen te wachten. En dan op een dag kom je ze tóch tegen en dan is het te laat. Zo gaat het altijd. Ach, wat is er mooier dan een vrouw op een zeilschip. Zulke blauwe ogen. Maar, ja...'

Zijn leven viel hem ineens tegen.

Karsch knikte verstrooid en zocht het dek af om te zien of er misschien toch nog ergens een vleugje van haar aanwezigheid was achtergebleven, een vergeten sjaal, een geur, voetstappen op de trap, een dichtslaande deur, iets waaruit bleek dat de salpeterhandelaar de waarheid had gesproken.

Niets daarvan.

De matrozen schrobden het dek, kapitein Paulsen rekte zich uit, de Aalander daalde af in het ruim om etensresten aan de varkens te voeren.

13

In een wascabine, die hij provisorisch als donkere kamer had ingericht, ontwikkelde Karsch de foto's die hij van de sloep uit had genomen. Een ervan toonde de Posen, opgetild door de deining, maar hoe Karsch ook keek, nergens op de foto kon hij de vrouw vinden die hij zo duidelijk door de verrekijker en de zoeker van zijn fototoestel had waargenomen. Op het moment dat de sluiter zich had geopend, had ze zich misschien gebukt om iets op te rapen.

Bij het avondeten liet de Nederlandse zich evenmin zien. Karsch betrapte zich erop dat hij zich vroeger dan anders verontschuldigde en de salon verliet om naar zijn hut te gaan in de hoop een geluid van haar op te vangen. Hij drukte zijn oor tegen de wand en meende de regelmatige ademhaling van een slapende te horen. Maar het kon ook de wind zijn, die nu eindelijk weer aanzwol en hen wegvoerde uit het gebied van de windstilten.

14

Omstreeks middernacht werd Franz von Karsch wakker. Hij opende de deur van zijn hut en keek bij het schijnsel van zijn olielamp de nauwe gang in. Onder de deur van de Nederlandse scheen licht. Ernaast stond een blad met enkele op elkaar gestapelde schaaltjes, een beduimeld waterglas, gebruikt bestek en een verfrommeld servet. Zich bijlichtend bekeek hij de vage afdruk van een mond op het linnen. In de zekerheid dat hij alleen was, bracht hij het naar zijn neus, maar de muffe geur van het linnen overheerste het parfum dat hij had gehoopt te ruiken.

Terug in zijn hut luisterde Karsch weer aan de wand. Het duurde even voor hij gestommel hoorde en een stem die iets zei. Geschrokken trok hij zich terug in zijn hut en schaamde zich voor zijn nieuwsgierigheid.

Hij probeerde zich de vrouw voor te stellen. Blond haar en blauwe ogen was een signalement dat weinig zei. Bijna alle vrouwen die hij had gekend waren donker- tot lichtblond geweest. Hij zou ze nooit vergeten, de bleue meisjes, teer als vergeet-mij-nietjes, die hij als student aan zijn arm door de balzalen had geleid, zwijgend in hun vele, ritselende rokken, verlegen met de koele schaduw van hun keursje. Ze zeiden nooit veel en lachten nog minder, in de hoop daarmee een goede indruk te maken – lachen verried een gebrek aan zelfbeheersing. Hun Pommerse gezichten waren rond en zo doorschijnend wit dat een kus – als je daar de kans toe kreeg – er een koortsige afdruk op zou achterlaten, die wellustig met het reine vlees zou vloeken. In een hoek achter de kamerpalmen knikkebolde de chaperonne, wetend dat die aardige graaf von Karsch-Kurwitz de reputatie had een heer te zijn.

Op andere avonden ging die heer naar feesten die georganiseerd werden door Goetz Wyrow, een eeuwige student met een *Schmiß*. Nog niet zo lang geleden ging het gerucht – naderhand bleek het waar – dat Goetz in Salerno op een hotelkamer, die per uur werd verhuurd, om onbekende redenen door een jongeman was neergestoken. Zijn dood was daarna met de mantel der liefde bedekt.

Toen Karsch ervan hoorde, wist hij al dat Goetz Wyrow nog een ander leven had gehad, dat hem in de geheimen van het genot moest hebben ingewijd en hem het heerlijk gif van zijn verborgen begeertes had leren kennen. Anders dan Karsch had Goetz verboden parfums geroken, besmette plaatsen bezocht, het willig zoet van gekochte liefde geproefd.

Terwijl Goetz stierf, had Karsch in het volle daglicht en met onverstoorbare hartslag zijn leven geleid. Anders dan Goetz zou hij er niet aan te gronde gaan, zou hij niet zijn jaren van rijpheid en de oogst van zijn ouderdom mislopen, zou hij het verval van zijn lichaam ondervinden, voldaan terugkijken op de levenslange vervulling van zijn plicht – en wat is dat meer dan de wil van een ander, die je zonder vragen de jouwe hebt gemaakt? Toch had Karsch Goetz zowel om zijn leven als om zijn dood benijd. Te sterven door andermans hand, zomaar zonder angstig te hoeven zijn, in één verblindend helder moment de geest geven – maar wat Karsch ook verzon om te worden zoals hij, steeds was daar die dofheid in hem die hem tegenhield.

Geen talent.

Over een jaar of wat zou hij gewoon beginnen aan zijn tweede levenshelft, die hij wel aan de zijde van de goede appelraapster Agnes Saënz zou doorbrengen. Hij had al wel eerder aan haar gedacht, maar in Lissabon had hij niet eens de moeite genomen haar een kaart of brief te sturen, om haar zijn overhaaste vertrek uit te leggen. Hij voelde wel iets van schuld, per slot van rekening was ze geen verachtelijk mens, maar wanneer hij niet in haar gezelschap was, dacht hij vrijwel nooit aan haar.

Misschien kwam dat doordat hij al te veel aan haar geruisloze aanwezigheid was gewend geraakt. Op feestelijke bijeenkomsten zochten ze uit verveling wel eens elkaars gezelschap, wat onmiddellijk werd uitgelegd als teken van groeiende genegenheid, maar daarvan kon geen sprake zijn, ze tutoyeerden elkaar niet eens.

De hut benauwde Karsch. Hij kleedde zich aan en ging naar dek, waar nu een zoel briesje stond. Het schuim van het kielzog lichtte wit op in het schijnsel van de maan. Er waren vlaagjes onrust op de golven. Terwijl hij over het water uitkeek, voelde hij een vage, onbenoembare angst die hij direct herkende. Ooit was hij als klein kind alleen achtergelaten in de tot stikkens toe volgepropte salon van een van zijn vele tantes. Om zich heen kijkend had hij niet geweten waarin hij en al die ontelbare dingen die hem omringden van elkaar verschilden. Hij was er niet zeker van of de dingen om hem heen niet ook leefden, net als hij, of dat ze misschien dood waren en dat hij dat dus ook was, net als zij. Zijn lichaam verstijfde, het was alsof zijn spieren stolden en zijn ingewanden samenklonterden.

Dat de zee hem nu hetzelfde aandeed, dat was curieus.

Karsch ging in een hangmat liggen. Boven hem een hemel die hij niet kende. Onder dit gesternte moest zijn leven eigenlijk nog beginnen. Die gedachte beviel hem.

15

Toen Karsch wakker werd, was de zon nog niet op, al was het al wel licht. Slaperig gluurde hij over de rand van de hangmat. Aan de reling ontwaarde hij een rijzige blonde vrouw in een sitsen jurk; ze droeg een breedgerande strooien zonnehoed met kleurige linten.

Toen ze hem zag, glimlachte ze flauwtjes.

Moser had gelijk gehad, haar ogen waren uitzonderlijk blauw. Voorzichtig kroop Karsch uit de hangmat, bang om te vallen.

Hij schraapte omstandig zijn keel en stelde zich voor, met moeite een neiging onderdrukkend om met de hakken te klappen. Tot zijn ergernis kon hij evenmin voorkomen dat hij bij wijze van buiging zijn kin even stram op de borst drukte.

Toen ze iets wilde zeggen, viel hij haar onmiddellijk in de rede.

'De heer Moser heeft me al alles over u verteld.' Terwijl hij opnieuw een stram buiginkje maakte, verontschuldigde hij zich voor zijn verfomfaaide kleren en zijn ongeschoren gezicht.

Bij het horen van de naam van de salpeterhandelaar fronste ze verwonderd haar voorhoofd.

'Alles? Van de heer Moser? O, die man met die rusteloze ogen.'

Voor hij iets had kunnen zeggen, liep ze van hem weg met grote dansende passen, die door hun algehele gebrek aan elegantie Karsch een beetje van zijn stuk brachten. Intussen vroeg ze over haar schouder kijkend terloops wie hij nog meer was dan alleen maar 'Karsch' – lachend imiteerde ze zijn barse stem – en waar *hij* naartoe ging.

Hij lachte verlegen terug, even overleggend of hij haar wel de waarheid zou vertellen – vroeg of laat zou ze die toch wel van Totleben of Moser horen. Met enige tegenzin legde hij de bedoeling van zijn reis uit. Terwijl hij zich hoorde praten, bedacht hij dat hij nu eigenlijk iemand anders zou moeten zijn, iemand met een avontuurlijker doel in zijn leven, iemand die met flonkerende ogen en hagelwitte tanden ergens op groot wild ging jagen. Misschien zou een foto van het landgoed in Pommeren... Meteen had hij een afkeer van zichzelf, omdat hij de kaart van zijn afkomst had willen spelen, en dat terwijl hij zich altijd had wijsgemaakt dat die hem eerder een last dan een zegen was. Maar waarom zou hij ook niet? Wie was deze *madame* Maris helemaal? Zo te zien van kleine familie, maar wat wist hij verder? Niets, behalve dat ze de enige vrouw was in een omtrek van honderden mijlen, wat meteen haar belangrijkste charme was.

Tersluiks sloeg hij haar gade. Haar gezicht was roze, alsof ze een lichte zonnebrand had opgelopen. Toen hij het wat beter bekeek, bleek het ook een beetje pafferig, met overal zachte contouren waar jonge vrouwen gewoonlijk nog scherpte en hardheid in hun trekken hadden.

16

Asta Maris kwam nu vaker aan het dek. De uren die ze in haar hut doorbracht, drentelde Karsch heen en weer van de boeg via het kampanjedek naar de achtersteven, zich afvragend wat ze daar benedendeks toch deed, overdag moest het er onaangenaam heet zijn.

Op een wijze die Karsch noch Moser kon doorgronden, voelde ze zich aangetrokken tot Totleben. De leraar liet weinig los over hun gesprekken. Hij zei dat ze het wel eens over het weer hadden, en de kunst, al moesten ze zich daarvan niet al te veel voorstellen. Totleben kende wat gedichten uit het hoofd die hij voor haar opzegde. Dat was alles. Karsch geloofde hem.

Voor Moser had ze weinig aandacht.

'Het komt vast omdat ik haar verteld heb dat ik getrouwd ben,' klaagde de salpeterhandelaar tegen Karsch en Totleben. 'Dat maakte mij natuurlijk minder aantrekkelijk voor *madame.* Ach, wie weet wat nog komen gaat en dan zal ik haar eens...' Hij lachte veelbetekenend.

Een paar dagen later toen Karsch naar zijn hut ging, hoorde hij onderdeks op de gang Asta Maris op scherpe toon tegen Moser uitvaren. Voor Karsch begreep waar het over ging, was ze in haar hut verdwenen.

'Stond u ons af te luisteren?' vroeg Moser boos toen hij Karsch ontdekte. En zonder diens antwoord af te wachten: 'Ze voelde zich in haar eer aangetast. Maar ik bedoelde heel wat anders dan ze dacht...' Hij snoof vol minachting. 'Wat een theater. Nu ja, dat heb je met die toneelspelers.'

'Toneelspelers?'

'O, weet u dat dan niet? Ik heb haar verteld dat mijn zoon musicus wilde worden. Daarop zei ze dat ze dat heel goed begreep, zij was immers toneelspeelster.'

'Dat wist ik niet,' zei Karsch. Hij had haar er ook niet naar gevraagd. Op een of andere manier deed het er hier op de steenbokskeerkring niet toe wat je aan wal deed.

Karsch keek nauwelijks meer om naar zijn wetenschappelijke arbeid en sleet de dagen in zijn hangmat. Als ze aan dek kwam, zocht Asta Maris nu wat vaker zijn gezelschap dan dat van Totleben. Ze praatten over niets in het bijzonder, waardoor er een aangename dampkring van alledaags gekeuvel rond hen ontstond waarin beiden zich graag koesterden. Maar soms ook verkoos ze weer onverwacht dagen achtereen het gezelschap van Totleben.

Vanuit zijn hangmat staarde Karsch hen narrig na op hun ronde over het dek en vroeg zich af waarover ze het hadden. Aan Asta Maris durfde hij het niet te vragen uit angst dat het de atmosfeer van hun dampkring zou verpesten. Aan de andere kant, door alle aangename oppervlakkigheid kwam ze nooit over haar leven te spreken, het weinige dat ze erover losliet had ook op menig ander van toepassing kunnen zijn. Karsch stoorde zich er niet aan, hij was toch al niet gewend dat er in conversaties intimiteiten ter sprake kwamen. Het waren haar lachjes, de blikken van verstandhouding die ze uitwisselden, die, zo meende hij, veelbelovend waren. Een enkele keer beroerde ze impulsief met haar vingertoppen vluchtig zijn arm om haar woorden kracht bij te zetten en eenmaal had ze steun bij hem gezocht toen ze bijna was gestruikeld. Ook nadat ze haar evenwicht had hervonden, bleef haar hand nog even licht op zijn arm rusten. Toen ze hem losliet gaf ze hem een speels kneepje.

Onbenullige voorvallen, die hem verrukten zodat hij zich naderhand niet meer kon herinneren wat ze even daarvoor hadden besproken. Eigenlijk kon hij zich nooit veel van hun gesprekken voor de geest halen, maar hij maalde er niet om, een verliefde hoefde zoiets niet te onthouden. Haar gezelschap gaf hem een gevoel van lichtheid, dat nieuw voor hem was.

's Nachts, als hij in zijn hangmat naar de hemel keek, nam hij zich voor haar in het vervolg wat vrijmoediger tegemoet te treden, maar 's ochtends was het gauw met zijn moed gedaan en was hij weer even terughoudend als altijd.

Totleben volgde hun bewegingen verstrooid vanuit zijn dekstoel, waar hij de dag doorbracht met zijn oranje boekje.

'Als u niet langer Karsch was geweest, had u meer vorderingen bij haar gemaakt,' zei hij op een dag tegen hem nadat Asta Maris naar haar hut was gegaan.

Karsch wilde weten wat hij daarmee bedoelde.

Totleben haalde zijn schouders op alsof het inzicht dat hij met Karsch ging delen eigenlijk niets om het lijf had. 'Ik dacht dat ik me zo eenvoudig mogelijk had uitgedrukt. Hier op deze hoogten zijn we niet langer degenen die we waren toen we uitvoeren. Niemand van ons, ook Moser niet. U nog wel. U draagt Duitsland nog bij u.'

'Ach. En u dan, Totleben?'

'Ik?' Hij dacht even na. Hij lachte en zijn gezicht lichtte op. 'Zelfs het Duits dat ik met u spreek komt me hier vreemd voor.'

'En Asta Maris?'

'Die is nergens thuis.'

17

Tot teleurstelling van Moser werd het met het Neptunusfeest niks. Bemanningsleden en passagiers waren – op Totleben na – allen al eens de evenaar gepasseerd. Ook Asta Maris. Kapitein Paulsen, die de Nederlandse altijd gereserveerd en een enkele keer zelfs lomp had bejegend zonder dat daar een duidelijke reden voor was geweest, had de salpeterhandelaar medegedeeld dat hij in haar paspoort onder andere de stempels van Kaapstad, Buenos Aires, Batavia en Macao had gezien.

Een actrice reisde natuurlijk veel, maar Karsch vroeg zich af hoe het kwam dat ze de halve wereld tot haar werkterrein had. Hij sprak er niet over omdat hij het niet gewend was een vrouw naar haar broodwinning te vragen, maar een paar dagen voor ze Rio de Janeiro aandeden, bracht hij het toch ter sprake.

Verwonderd bleef ze staan.

'Maar ik ben pianiste, Franz.'

Niet-begrijpend keek Karsch haar aan. 'Heb je dan niet gezegd dat je actrice was?'

'Ik? Actrice?' Ze proefde het woord om te zien of het misschien iets voor haar was. 'Heb ik gezegd dat ik actrice was? Tegen jou? Nou ja, een pianiste is eigenlijk een soort actrice, nietwaar? De een speelt wat de schrijver, de ander wat de componist voorschrijft.' En terwijl ze schuw lachend naar hem opkeek, was het alsof haar bijna iets ontsnapt was dat ze misschien voor zich had willen houden, al kon het ook zijn dat een vlaag van achterdocht hem parten speelde.

Hoe het ook zij, de dag daarop meed Asta Maris elk gezelschap toen ze aan dek kwam. Hoewel het schip rustig in het water lag, hield ze zich steeds stevig vast aan de reling. Toen Karsch haar na enige aarzeling aansprak, zag hij dat haar ogen koortsig schitterden. Ze deed een stap achteruit, ze wilde niet dat hij dichter bij kwam.

Hij drong niet aan.

Van een afstand sloeg hij haar gade terwijl ze over de zee uitkeek. Haar geest leek in de lichtjes op het water te flonkeren, ongrijpbaar voor hem, onbegrijpelijk ook, omdat hij nog nooit zo naar de zee had gekeken. Haar gloeiende blik leek samen te vloeien met het spelende licht alsof er verwantschap tussen hen bestond. Hij zag er ook aan dat ze tegen hem had gelogen en wendde zijn blik af om het niet te hoeven zien.

Toen ze zich een paar dagen eerder samen over

een boek hadden gebogen dat Karsch haar had willen laten zien, had hij gemerkt dat haar adem vagelijk naar alcohol had geroken. Aanvankelijk had hij gedacht dat hij zich had vergist, maar een beweging van het schip had haar tegen hem aan geworpen. Ze had een beetje dwaas gegiecheld en was met haar grote danspassen van hem weggelopen.

'Ze heeft geen zeebenen,' had Moser grijnzend opgemerkt.

Tot Rio de Janeiro kwam ze niet meer aan dek.

II

I

Aan een bedaarde baai, opgesloten door een golvende, groen begroeide kust van heuvels en stompe bergen die in het oosten nog een zeemijl voor de Atlantische Oceaan had opengehouden, lag Rio de Janeiro; het water toonde er in de baai zijn blauwen, de zee verstoof nog wat zout op het strand, lome aflandige winden voerden de machtige geuren van het binnenland aan, in de hete forten op de eilanden roerde zich niemand.

Zon. Stinkende kaden. Dode hond. Gistende lading, teer, een smerig smokend treintje voerde kolen aan, oud wier rotte aan ankerkettingen. Havenwerkers met slechte gebitten klommen aan boord van de Posen en vertrokken plotseling weer. Vier vermoeide douanebeambten verschenen aan dek om in de hut van Paulsen te verdwijnen, twee van hen kwamen weer naar buiten en daalden af in de ruimen, doken er weer uit op en praatten met de eerste stuurman. De havenwerkers kwamen terug naar de Posen, maakten ruzie met de bootsman. Tussen de koffiebalen en het brazielhout verscheen een wit rijtuigje waarin niemand zat. De kolentrein reed snuivend door. In een loods walmden wolken vliegen boven vergeten waar, die onverscheept gebleven gistend uit biezen pakken lekte. Een man in een bleek gewassen blauwe broek doemde op in de deuropening van de loods, schoof zijn strohoed naar achteren, kneep turend zijn ogen tot spleetjes, zei iets onverstaanbaars en schoof de deur dicht. Een stoomfluit sloeg alarm, ginds trokken zich twee vrachtauto's hikkend op gang; de chauffeurs hingen uit het raam, ogenschijnlijk zonder op te letten waar ze reden. Een kraan liet een rookpluim vliegen, draaide om haar as, een lijn werd strakgetrokken. Stukgoed tussen hemel en aarde. Andermaal daalden beambten af in het ruim, waar ze even later weer uit opdoken. Eigenlijk waren ze van plan geweest daarop via de valreep het schip te verlaten, maar Asta Maris was aan dek verschenen, dus hielden ze ongegeneerd de pas in voor haar blonde haar, dat door een paarlemoeren klem van achteren bijeen werd gehouden, maar verder vrij over haar rug golfde. Ernst Totleben die in haar kielzog was verschenen, keurden de beambten geen blik waardig, ofschoon hij een schoon hemd had aangetrokken en zijn kleren had geborsteld.

Van het kampanjedek zag Karsch toe hoe een toekomstig leraar aan het Duits gymnasium te Santiago de Chile zijn Asta Maris in het witte rijtuigje hielp.

2

Moser wist evenmin waar naartoe mevrouw Maris – hij verbasterde het Nederlands spottend tot *maifrau* – en Totleben waren vertrokken, mevrouw Maris nam hem immers nooit in vertrouwen, zeker niet over haar persoonlijke aangelegenheden, misschien dat ze zich – wie weet – daarvoor te goed achtte, hoewel haar weinig voorname kleding daartoe eigenlijk geen aanleiding gaf, maar dat Totleben haar favoriet was, ja, dat stond voor Moser wel vast, hoewel ze natuurlijk ook steeds graag het gezelschap van Karsch had gezocht, al was het maar omdat deze – met permissie – de meest prominente passagier aan boord van de Posen was, daar kwam hij niet onderuit, feiten waren feiten – hij hoefde het zich niet aan te trekken; wat Moser eigenlijk wilde zeggen: die Nederlandse en zo'n gymnasiumleraar als Totleben hadden waarschijnlijk meer gemeen dan men op het eerste gezicht zou denken, ook hier spraken de feiten, want Ernst Totleben was uit Duitsland gevlucht, waarvoor of waarom kon de salpeterhandelaar niet onthullen, maar het stond voor hem vast dat Totlebens milieu – *'Zogenaamd beschaafde burgers, Karsch, lezers en dwepers die hun ziel oppoetsen met dode dichters en denkers.'* – hem niet langer in zijn midden had geduld, Moser had een neus daarvoor, hij gaf het toe, maar dat kwam omdat datzelfde milieu hem altijd had laten voelen dat hij van nederige komaf was.

Enfin, dat zou niet lang meer duren, dan zou de nieuwe tijd de bordjes verhangen.

En dan mevrouw Maris. Herinnerde Karsch zich nog dat ze in Lissabon haar koffer aan boord hadden zien komen en was die niet van alle kanten beplakt geweest met etiketten van spoorwegen, scheepvaartmaatschappijen, reisbureaus, hotels? Getrouwd was *madame* niet, ze droeg geen ring, sprak nooit over thuis. Waarom een dame – zo wilde hij haar nog wel noemen – eigenlijk moederziel alleen over de wereld zwierf? Kapitein Paulsen had zich al eens eerder laten ontvallen dat haar paspoort stempels had van plaatsen als Shanghai, Macao, Kaapstad en Batavia. Wat deed deze *madame* eigenlijk zo ver van huis? Was ze soms ook op de vlucht, net als Totleben? Werd het geen tijd daar eens naar te vragen? Daar hadden ze toch recht op? Je mocht toch wel weten met wie je in zee ging?

Zo ging Moser maar door, telkens opkijkend naar Karsch om te zien of zijn woorden het juiste effect sorteerden.

Karsch wist niet wat te zeggen. De nauwelijks verholen insinuaties van de salpeterhandelaar dat Asta Maris' leven misschien wel eens niet zo eerbaar was als het op het eerste gezicht leek, hadden hem van zijn stuk gebracht; hij wilde helemaal geen kwaad van haar weten. Toch moest er een grond van waarheid in Mosers redenering steken, ook Karsch had in een verloren ogenblik wel eens gedacht wat de salpeterhandelaar nu hardop suggereerde. De mogelijke antwoorden was hij behoedzaam uit de weg gegaan. Neerkijkend op Mosers triomfantelijke gezicht realiseerde hij zich dat hij de lange uren, waarop Asta Maris zich niet aan dek had laten zien, onafgebroken aan haar had lopen denken. 's Avonds had hij zijn oor tegen de wand van zijn hut gelegd – tien centimeter was ze daar van hem verwijderd – overwegend of hij bij haar zou aankloppen. Bovendien had hij zich voorgehouden dat hij haar niet mocht storen, iedereen had recht op zijn afzondering. Wie weet waarvoor vrouwen zich terugtrekken? Daarom had hij in zijn hangmat de tijd maar doodgeslagen door zich steeds een andere toekomst te verzinnen. Alle keren had ze er de hoofdrol in gehad. Met haar grote, altijd wat aarzelende danspassen – hij zou leren ze sierlijk te vinden! – ging ze hem voor in zijn hersenschimmen, hij volgde haar, met achterlating van al dat laffe *ennui* van hem. In elke nieuwe toekomst die er in hem opkwam, legde Asta Maris haar hand op zijn arm of strekte ze zich uitnodigend voor hem uit op een wit laken of boog ze zich naar hem voorover en tuitte ze haar lippen om hem onbeduidende roosjes in het oor te blazen... Natuurlijk was het geen werkelijk bestaan dat zich daar voor zijn geestesoog steeds trillend zilverig, als in een luchtspiegeling aan hem toonde, het was eerder een vorm van niet-leven of, indien zoiets niet mogelijk was, een staat van volmaakte puurheid, waarin ze samen rondwandelden en waar geen tijd meer verstreek; nergens toonde zich een einder, het bovenzinnelijk licht was er te fel om ver te kunnen zien. Karsch deed in dit paradijs niets van belang, hij werkte er niet, dacht niet na, misschien bewoog hij zich er wel niet eens – op het wandelen na dan. Geluk verlamde. Het kon hem niets schelen, omdat hij toch nergens meer heen wilde.

Er werd een hand op zijn arm gelegd.

Karsch schrok op en keek hulpeloos neer op de zwart behaarde vingers van de salpeterhandelaar.

'Er zijn meer vrouwen dan Asta Maris,' suste Moser. 'Veel meer. Waarom die ene als er zoveel andere zijn?' Zijn blik zocht verstandhouding met die van Karsch.

Mannen onder elkaar.

Moser nam hem bij zijn arm. '*Cherchez la femme*, nietwaar? Ha, ha! Ik weet ze te vinden...'

3

Na een korte aarzeling ging Franz von Karsch de salpeterhandelaar achterna. Spiedend om zich heen blikkend sloop hij naar de valreep. *Onder in het ruim kijken haveloze havenwerkers wat ik doe. Ze weten natuurlijk wie ik ben. Ze denken: die blonde is er met haar liefje vandoor en daar komen die sukkel en de proleet nu pas achter.* Terwijl Karsch van boord ging, verweet hij zich dat hij geen idee had waar ze naartoe gingen; intussen vroeg hij zich af waarom hij zijn strooien hoed had opgezet. Die zou in dit land wel uit de toon vallen, men droeg hier zwieriger formaten, met breder rand. Misschien had hij beter aan boord kunnen blijven, in zijn hangmat, het zware parfum van de stad maakte hem nu al onzeker.

In het havenkwartier werd hij omgeven door donkere gezichten, van ivoorgeel tot zwart, anders dan die in Pommeren, waar ze breed en wit waren. Ze staarden hem onverschillig aan – hij durfde nauwelijks naar hen op te blikken – alsof hij niet tot dezelfde diersoort behoorde als zij en zijn aanwezigheid misplaatst was en reden gaf tot achterdocht. Met tegenzin gingen ze voor hem opzij – jegens Moser waren ze soepeler – hun keel schrapend als ze voorbij waren om spuug te verzamelen. Links en rechts hingen de vrouwen uit de ramen, die tussen hun gevouwen armen hun boezems lieten bollen en met schelle stemmen tegen elkaar praatten en lachten toen Karsch en Moser voorbij kwamen, hen onverstaanbaar obscene klanken najouwend. Het gat van een oude mannenmond gaapte hen aan, verveloze kinderen verschenen in deuropeningen en verdwenen weer. Hier was hij niet langer graaf von Karsch-Kurwitz of docent aan het instituut of zelfs maar die aardige neef Franz, die met Agnes Saënz zou trouwen. Hier was hij niets. De aanwezigheid van al die gezichten om hem heen had hem eigenlijk van zijn bevangenheid moeten bevrijden, hier was hij immers voor iedereen een onbekende, maar de leegte in hem werd steeds groter naarmate hij dieper de stad inging, het was alsof hij uit zichzelf wegvloeide.

Onder andere omstandigheden had hij zich naar de Duitse Club laten rijden, om neer te vallen in koele leren stoelen en omgeven door bruin eiken lambrizeringen bier te drinken, maar het onverwachte vertrek van Asta Maris in gezelschap van Ernst Totleben had hem van zijn stuk gebracht. Daarna was hij in een gemelijke stemming geraakt. Het was de salpeterhandelaar niet ontgaan, Karsch had het leedvermaak in zijn ogen herkend.

Moser ging voorop. Hij had zijn Baedeker op de Posen gelaten, hier kende hij de weg, zoals hij niet moe werd te herhalen wanneer Karsch ongerust om zich heen keek.

Hij had niet gelogen. In het restaurant waar ze wat zouden eten werd Moser na enige aarzeling door de gerant herkend. De rest van de avond draaide de man pluimstrijkend om de salpeterhandelaar heen en las hem de bevelen van de lippen om ze door te geven aan de obers die achter kamerpalmen discreet op zijn orders wachtten.

Moser liet steeds bijschenken. Telkens wanneer Karsch' glas nog maar half vol was, wees hij er met zijn mes naar, waarop de obers toesnelden. Hier was hij thuis. Links en rechts van hen werden luid en voor iedereen duidelijk hoorbaar de koffie- en tabaksprijzen besproken. Ringen glinsterden in het licht van de luchters, lakschoenen kraakten, stemmen spoten al twistend het zaad van hun tweedracht over de hoofden uit. Men greep naar zijn neus, bespiedde elkaars geslacht. Met souvereine lompheid lonkten de heren naar belendende tafels en negeerden ze de dames van hun eigen gezelschap, die routineus het wiegend zacht vlees van hun decolleté toonden dat in warme plooien neerhing, terwijl zij zich intussen zenuwachtig als een opgewonden insect koelte toewoven, elkaar daarbij van achter hun waaiers confidenties in het oor lispelend. Deinend van de struisveren, de borst vooruit, het haar glanzend van de pommade schreden families in optocht aan de tafel van Karsch en Moser voorbij, op weg naar het avondeten.

Daar zat hij, Franz von Karsch, een 'niemand', officieel talentloos, verlangend naar de omhelzingen van Asta Maris, die elk moment in een mystieke jurk uit plaklabels van hotels, reisbureaus en scheepvaartlijnen kon binnenzweven, gewichtloos door de smachtende muziek van het orkest die van elke voetstap een danspas maakte.

Roekeloos van Mosers drank ginnegapte Karsch om de glimmende zijden vesten van de heren, die hun snor opstreken en pilletjes tegen de indigestie snoepten uit een gouden doosje dat met een kettinkje in het knoopsgat vastzat. Galant grimaste hij naar een sierlijk, donkerharig meisje dat verwonderd terugblikte. Telkens als er iemand de eetzaal binnenkwam, keek hij op van zijn bord, alsof hij verwachtte dat Asta Maris met grote passen haar entree zou maken, een afwezige glimlach om de lippen, de blauwe ogen half geloken.

Von Karsch kreunde onder zijn verlangen, liet zich bijschenken en bijschenken en probeerde vergeefs zijn sombere ziel te bagatelliseren. Hij zou zich misschien beter voelen als hij iemand kon kwetsen. Niet grof, maar beleefd, dat was erger.

'Liefde,' zei hij op een zeker ogenblik hooghartig tegen de salpeterhandelaar die tot dan toe het gesprek met geopolitieke beschouwingen gaande had gehouden, 'liefde met vrouwen is een kwestie van biologie.'

Moser loerde van onder zijn zware wenkbrauwen naar Karsch, op zoek naar de valstrik. 'Dat uit uw mond te horen. U met uw zee en uw golven: ik had van u iets anders verwacht.'

'Ik ook, Moser, maar de feiten zijn niet anders.' Hij stak van wal. De voortplanting diende niet voor de instandhouding van de soort, zoals wel werd gedacht, maar van de stand. De hogere standen hadden altijd de eerste keus uit de beschikbare vrouwen gehad – en dat was natuurlijk nog steeds zo, vandaar hun natuurlijke superioriteit. Dat ze daarbij ook wel eens wat verder over de rand van hun wereld keken dan ter wille van het biologisch erfgoed misschien wenselijk was, deed aan de zaak niets af.

Moser hoorde het grijnzend aan. Van tijd tot tijd zei hij iets om Karsch aan te moedigen of te verleiden tot nog wildere uitspraken.

Terwijl Karsch met steeds minder overtuiging zijn denkbeelden uitdroeg, vroeg hij zich verwonderd af of híj het was die hier het woord voerde. Hij herkende zichzelf niet, was hij dan werkelijk zo verblind door Asta Maris dat hij nu hier veel te luid allerlei abjecte onzin zat uit te kramen, in de hoop dat hij zo wat minder hinder van zijn chagrijn zou hebben? Inmiddels had hij een rood hoofd gekregen en liep zijn tong hulpeloos achter zijn gedachten aan.

Blozende matrones geurden rijp als pioenrozen bij hun glaasje punch, nerveus als een school vissen golfden de meisjes voorbij, achter de palmen het tinkelen van een piano en de hartepijn van violen en die stem, die altijd achter haar noot aankwam alsof ze van de vorige maar geen afscheid had kunnen nemen: dat alles verdoofde de Duitser in hem. Vergiste hij zich of hoorde hij het aanhalig lachje van zijn moeder in zijn oren? *Waarom neem je die mollige niet, mijn kind, of die daar met dat jongensachtige figuur.* Quelle garçonne! *Of die daar, die kuise zwarte Madonna daar met haar blanke hals.* Behaaglijk zakte hij onderuit en vroeg meer te drinken.

4

Moser liet een rijtuigje komen, ze gingen naar een andere gelegenheid, een waar stand niet telde en voortplanting alleen als vertier.

Karsch liet zich meetronen. Ergens in de stad, misschien wel vlakbij, danste Asta Maris met Totleben. De grote passen waarmee ze aan alle voorgeschreven figuren voorbijging, slepende arabesken negeerde, zich af en toe uit de armen van de zwetende gymnasiumleraar losmaakte, dat alles bracht iedereen die het zag in verrukking. In zichzelf verzonken tolde ze als een derwisj langs verwonderde Braziliaanse gezichten, tot ze zich ten slotte losmaakte van de vloer en steeds ijler en ijler werd, oploste in het licht van honderd kandelabers en haar geest liet uitgaan over de stad om hém, Franz von Karsch-Kurwitz, te zoeken!

Hij kreeg de hik. De lauwe avondlucht maakte hem loom, zijn hoofd was gezwollen van de drank. Terwijl hij in het rijtuigje plaatsnam, dacht hij terug aan de eerste keer dat hij deze streken had bezocht en jong en groen als hij was hoogmoedig had vastgesteld dat het kwaad zich op deze breedten niet meer schuw verborg en er alles vrijelijk aantastte met zijn bederf.

Nog altijd was het woekeren van de wereld hier zoveel machtiger dan het gedoe van de mensen, die, wat ze ook deden, er maar nooit in slaagden haar aan zich te onderwerpen. Ze konden slechts op haar parasiteren, ze snoepten van haar bomen, groeven haar knollen uit, tapten haar rubber af, lieten kwik in haar wateren vloeien, brandden haar vlakten plat, hengelden haar vissen uit rivieren zonder dat zij er minder van werd; wat de mensen haar ook aandeden, hier richtte ze zich steeds weer op uit de humus van haar eigen dood. De mensheid was hier niet langer souverein, niet langer de kroon der schepping, zonder ambitie dwaalde ze hier rond, niet in staat deze voortwoekerende wereld naar haar hand te zetten. Het waren niet alleen de mensen uit de oude wereld, de nazaten van de slaven of de geïmmigreerde jezuïeten die de gevangenen van deze doolhof waren, iedereen was er ontheemd. Karsch had op zijn eerste reis al gemerkt dat zijn wil, die veerkrachtige, immer heldere, sproeiende bron van energie, in deze streken laf was geworden en moe van de hitte de neiging had zich gewillig mee te laten voeren op die ene brede stroom, die hier al sinds mensenheugenis traag door eindeloze groene tunnels van niets naar nergens kroop. Destijds had hij het als typisch iets van hier beschouwd, als een exotisch bederf waarvoor hij als mens van andere streken immuun was. Hij wist nog niet dat hetzelfde gevoel je evengoed in Hamburg, op de stille kantoren van een instituut kon overvallen.

Toen hij die eerste reis naar huis ging, had hij een moeilijk te omschrijven dofheid meegenomen, die hem tot in Pommeren was gevolgd. Toen had hij begrepen dat hij zijn leven, hoe licht en rond het hem ook had toegeschenen, nog lang niet ten einde had gedacht. Hier, op deze breedten, had hij voor het eerst ingezien wat hij in natuurwetenschappelijke zin eigenlijk was: een toevallige minuscule woekering op de aardkorst, mos, schimmel, bladluis, brulaap – in elk geval niets *noodwendigs*. Zijn hooggestemde inzichten telden niet langer, alleen wat hij was, en zelfs dat niet werkelijk, want het weinige dat hij was, was hij immers maar toevallig.

Het was hier dat hij op zulke gedachten kwam, nooit in Pommeren – of elders in Duitsland – waar het gewas zich altijd moeizaam, houterig uit de aarde had gewrongen en er, van begin af aan al krom gegroeid, karige vruchten had gedragen om een mensensoort te voeden die zich ermee tevreden stelde.

Had hij zich daarom de zee toegewend, om er niet mee te hoeven leven?

Het rijtuig hield halt bij een villa. Een stoffige, met allegorische gipsnaakten opgetuigde pronkgevel met Corinthische zuilen en kapitelen, werd omgeven door een zee van witte lelies, die in het bleke gaslicht opgloeide. Voor een brede trap wachtten koetsjes en huurrijtuigen, paarden sliepen op drie benen, koetsiers stonden bij elkaar te roken, de nacht van hun klanten was nog lang.

5

Sinds het vertrek uit het restaurant had Mosers mond niet stilgestaan. Hij wilde van Karsch weten hoe het precies zat met die standstheorie waarover hij het bij het eten had gehad. De salpeterhandelaar was daarin geïnteresseerd geraakt. Had Karsch voorbeelden? Ervaringen misschien? Zijn kleine ogen keken Karsch dwingend aan. Dat een mens door zijn afkomst bepaald werd stond vast, voor Moser tenminste wel, overtuigd als hij was dat hij en zijn gelijken de samenleving binnenkort van nieuw bloed zouden voorzien.

Een beetje tot zijn eigen verwondering – hij had het verhaal altijd voor zich gehouden – vertelde Karsch van het meisje dat hem als zieke destijds de zee in had gedragen en zich met hem in het water had ondergedompeld.

'Ja en? En? En?' Moser begreep niet wat het met zijn vraag te maken had. Ongeduldig boog hij zich over de tafel naar hem toe om niets te missen.

Karsch aarzelde. Waar zouden Asta Maris en Totleben op dit moment zijn? Verstrooid ging zijn blik de zaal door, waar vrouwen in hun witte keurslijfjes bij elkaar zaten en behaagziek de aandacht van de gasten probeerden te trekken. Sommigen hadden al een schoot van hun gading gevonden en hun wijsvingers draaiden aanhalig krullen van dun, grijzend haar.

Von Karsch vertelde dat hij twintig jaar na de reis naar de badplaats bij toeval het kindermeisje dat hen destijds had vergezeld weer op het spoor was gekomen.

'En?' drong Moser aan.

'Eigenlijk was het niets bijzonders. Ik weet niet of u het wilt horen...' Hij zweeg en dacht aan de ontmoeting en wat erop was gevolgd. Het kindermeisje was intussen vormeloos geworden en had rode washanden gekregen. Tijdens de beleefdheden die ze hadden uitgewisseld was ze plotseling opgestaan en de kamer uitgegaan. Even later was ze teruggekeerd, een meisje van een jaar of zeventien voor zich uit duwend, dat het evenbeeld van haar jeugd was geweest. Karsch had een vreemde mengeling van angst en opwinding gevoeld, hij werd overrompeld door herinneringen, alle sensaties die hij van zich had afgezet waren er: de ronde armen, de zachte druk van haar lichaam tegen het zijne, de dijen waarop het kind had gezeten.

Zonder erover na te denken had hij de vrouw, die geen werk of kostwinner had gehad, eigenlijk uit liefdadigheid aangenomen om één maal per week zijn appartement schoon te maken. Als ze kwam, sprak ze dikwijls over hun gezamenlijke reis naar zee. Het was duidelijk dat ze zijn vertrouwen trachtte te winnen. Na twee maanden nam ze haar dochter mee, zogenaamd om haar bij het schoonmaken te helpen, maar het wicht stak geen vinger uit. Onverschillig zat ze in de keuken uit het raam te staren, alleen als Karsch haar blik trof, glimlachte ze koket. Toen hij haar gedrag bij haar moeder ter sprake bracht, zei die dat het haar niet verbaasde. Haar dochter was wat vroeg rijp, net als zij vroeger was geweest. Het meisje had haar moeder toevertrouwd dat ze diep onder de indruk van mijnheer de graaf was geraakt. Hij was veel jeugdiger dan ze had gedacht, en dan al die geleerde boeken in de studeerkamer... Het was de vrouw niet ontgaan dat hij zich onwillekeurig naar haar toe had gebogen en haar woorden begerig had opgezogen. Bij de volgende gelegenheid dat ze kwam werken nam de moeder het meisje bij haar arm en leidde het naar Karsch. Ze moest niet zo verlegen zijn, mijneer de graaf zou haar niet opeten. Toen Karsch zei dat hij haar mooi vond, voelde hij het bloed naar het gezicht stijgen en ergerde zich dat hij zich tot die opmerking had laten verleiden. Hij had streng willen zijn, vaderlijk en mysterieus misschien – in elk geval ongenaakbaar. Hij was echter als was geweest. Het meisje was niet veel jonger dan haar moeder toen die hem op dat strand in de armen had genomen en met hem tegen zich aangedrukt de zee was ingelopen. Hij had wel eens gewenst dat hij toen ouder was geweest, want behalve zijn moeder waren er weinig vrouwen in zijn leven ooit dichter bij hem geweest dan zij op dat moment. Ook Agnes Saënz niet. Die gaf hem bij de begroeting en het afscheid steeds een wang, de rest van haar lichaam hield ze zorgvuldig weg bij het zijne. Misschien niet eens uit preutsheid, maar omdat ze nu eenmaal schuw van aard was en er altijd anderen aanwezig waren geweest die met een bemoedigende glimlach hadden toegekeken. Inmiddels had de vrouw, de schoonheid van het meisje aanprijzend en hun armoede beklagend, handig het lijfje van haar dochter naar beneden getrokken, onder het voorwendsel hem het litteken van een oude wond te laten zien. Afwezig had haar dochter een plek even boven het hoofd van Karsch bestudeerd, die verstijfd naar haar inmiddels geheel ontklede bovenlichaam had gekeken, waarop overigens geen litteken was te zien. Hij merkte dat zijn handen beefden en zijn mond droog was geworden. Hij had de vrouw terecht willen wijzen, weg willen lopen, boos willen worden, maar in plaats daarvan was hij onbeweeglijk in zijn bureaustoel blijven zitten. Terwijl de moeder aan de rokken van haar dochter frunnikte alsof daaraan iets defect was, onderwijl tersluiks zijn reactie gadeslaand, liet Karsch zijn blik hulpzoekend over zijn boeken gaan, die hem daar ineens idioot misplaatst voorkwamen. Giechelend stonden ze op de planken, de *Annalen der Hydrographie und maritimen Meteorologie*, de standaardwerken van Thoulet, Krümmel, Scott-Russell, allen oudere heren met geleerde baarden en een rood kalotje met kwast op het hoofd. Alle wetenschap was in de aanwezigheid van het half ontklede meisje ineens belachelijk geworden, en als die belachelijk was, dan was Karsch het ook, per slot van rekening was hij maar het waterig destillaat van wat in al die boeken was opgeslagen. De aanwezigheid van een blinkend witte meisjeshuid had de wanden van zijn bibliotheek terstond veranderd in de zwabberende coulissen van een Franse klucht. Achter de deuren wachtte men op zijn opkomst, de leren ruggen van de folianten leken ineens op decorlinnen geschilderd, aan het kamerscherm hing ondergoed: het vertrek maakte zich op voor een herdersuurtje. Iets ziltigs was zijn richting uit gekomen, lichte zweetgeur misschien die gepaard was gegaan met iets wonderlijks dat op kaneel had geleken en de vluchtige oliën van citroenschil. Terwijl het kind hem met zijn verleidelijke parfum had omgeven, had hij in een paar ogen gekeken die slechts verveeld op hem hadden neergeblikt.

Nog steeds aan een stuk door pratend over het ongeluk dat haar in het leven had getroffen, gaf de moeder terloops het kind een duwtje, om het binnen handbereik van mijnheer de graaf te brengen. Karsch merkte dat het ondanks haar onverschilligheid onwillig was; het had zich heel even, een halve tel misschien, schrap gezet. In tweestrijd zag hij zich zijn hand naar het kind uitstrekken. De vrouw duwde het meisje opnieuw naar hem toe. Zij, de moeder, zou dit geheim met hem delen, per slot van rekening was ze er de aanstichtster van. Zij had nu al domein op hem veroverd, ze kon er nu al bijna met hem op gelijke voet verkeren. Daarbuiten zou ze discreet zijn, maar op elk moment kon ze een veelbetekenende blik met hem uitwisselen, hem knipoogjes geven, met wetende glimlach zijn bewegingen volgen, hem misschien wel naar andere afgronden leiden waar zij de weg kende. Zo zou ze zich sluipenderwijs in zijn leven nestelen. Ze zou geheimhouding bewaren, dat sprak vanzelf, maar alles had een prijs. Eerst zou ze weinig nodig hebben, later meer, en misschien nóg meer bij onvoorziene omstandigheden... Op het moment dat hij de tepel van de dochter voorzichtig zou strelen, zou hij zijn eerste terrein aan de moeder kwijtraken. Dit was geen studentikoze baldadigheid meer, dit kind was de volwassen wensdroom van de bijna middelbare man die zulk glad, geurig vlees al lang niet meer voor niets kreeg.

Even voor de borst kwam zijn hand tot stilstand.

Kletsnat van het zweet stond Karsch op, raapte haar kleren van de grond, duwde ze het meisje in de armen en vluchtte de studeerkamer uit.

Later liet hij via derden weten dat de vrouw en haar dochter niet meer hoefden te komen.

Zo had Karsch zijn eer behouden, maar was hij zijn gemoedsrust kwijtgeraakt. Wekenlang was hij nog bang geweest dat hij midden op straat door een wildvreemde knipogend zou worden aangesproken, die hem – uiteraard in vertrouwen! – zou meedelen dat hij heel goed wist waaraan Karsch voortdurend liep te denken.

Hij schudde het hoofd.

Nee, hij zou er niets over aan Moser vertellen.

'Ach, eigenlijk was het niets bijzonders...' herhaalde hij. 'Het had ook helemaal niets met uw vraag te maken, het was zomaar een inval.'

Geagiteerd trommelde Moser op het tafelblad. Nu Karsch niet mededeelzaam wilde zijn, restte hem niets anders dan diens theorie dat de mens zich uit standsbewustzijn voortplantte te verwerpen. Het tegendeel was waar, betoogde hij, de man liet bij de selectie van zijn vrouw een weloverwogen teeltkeuze meespelen om zijn bloedlijn, zijn stam en, ja, ook uiteindelijk zijn ras te dienen, om in het collectief zijn genie tot recht te laten komen. Misschien wel verrast door zijn eigen woorden ging Moser overeind zitten en keek uitdagend om zich heen alsof hij ineens moed had gevat nu hij bij toeval het leven een van zijn diepste raadselen had ontfutseld.

Karsch kende de inzichten waarmee hij kwam maar al te goed. Ofschoon ze betrekkelijk nieuw waren, had hij ze zelfs al op de sociëteit gehoord, vervat in brutale, galmende frasen die in je hoofd bleven resoneren en elke redelijke weerlegging overstemden. Hij herinnerde zich ook dat zijn vader kwaad was geworden toen hij, verdoofd nog door het nieuwe van deze gedachten, hem erover had verteld. Diens reactie had hem verbluft. Met schrille stem en panisch afwerende gebaren, alsof hij niets van deze inzichten wilde weten, had hij hem het zwijgen opgelegd. Ook later was Franz von Karsch er nooit achter gekomen waardoor zijn vader zo geraakt was geweest. Was het omdat hij het niet kon hebben dat het gemene volk zich nu ineens ook als bijzondere mensen was gaan zien, of omdat hij de opvatting verafschuwde dat hij in wezen niet veel verschilde van het stamboekvee op zijn land? Zijn vader kennende was het laatste waarschijnlijker dan het eerste, maar hoe goed kende hij zijn vader? De oude graaf von Karsch was een nerveuze man geweest met dunne neusvleugels, die altijd onraad roken. Hij vertoonde zich niet graag in het openbaar. Zijn verlangen naar onzichtbaarheid ging zo ver dat hij, zolang Franz von Karsch zich kon herinneren, zijn slaapkamer niet met zijn vrouw had gedeeld.

Terwijl Moser zijn teeltkeuze-theorie van gedurfde uitweidingen en aanvullende bewijzen voorzag, keek Karsch een beetje verstrooid naar drie dansende vrouwen op het toneel. Op de maat van de muziek schudden ze hun boezems en wierpen onder gelach en applaus hun benen in de lucht, verder brachten ze er niet veel van terecht.

Moser, die nog steeds aan het woord was, verweet Karsch dat hij niet luisterde.

Karsch verontschuldigde zich. 'Ik heb, geloof ik, teveel gedronken. Wat zei u precies?'

Moser liet hem rumpunch bijschenken en verzonk weer in zijn verhandeling, waarin hij bij aard en wezen van de toekomstige mens was beland.

Karsch probeerde zijn blik te fixeren op het ronde gezicht van de betogende handelaar, maar merkte dat hij scherper zag wat verder weg was dan dichtbij – hetgeen voor hem niet zo ongewoon was. Hij dronk van zijn punch en glimlachte met natte lippen naar een grote vrouw in hooggesloten jurk. Ze behoorde tot een gezelschap dat zoëven naast hen was neergestreken en meteen omringd werd door de dames van het huis. De vrouw neeg het hoofd naar Karsch en Moser, zich in het Frans voorstellend als *madame* Pereira Pinto. Ze verontschuldigde de heer in het gezelschap – '*Monsieur* Pereira Pinto, *mon mari*' – omdat hij hier nu eenmaal altijd geheel in beslag werd genomen door de jongedames en daarbij gewoonlijk de goede omgangsvormen uit het oog verloor. *Monsieur* Pereira Pinto knikte afwezig en draaide, getergd door de overdaad aan heerlijkheden, om het damesgezelschap heen, zoals een sergeant-majoor zijn recruten inspecteerde. Hij lichtte hier een hempje op, woog daar een bil in zijn handpalm of trok met zijn wijsvinger een keursje open tot het zijn vrouw ging vervelen en zij hem een meisje toewees waarmee hij onverwachts gedwee verdween. *Madame* verklaarde zuchtend tegen Karsch en Moser dat het voor haar man inderdaad niet makkelijk was een keuze te maken, hij had alle meisjes al eens gehad, maar nooit kon hij voor zich uitmaken welke hem nu het best was bevallen; daarom koos zij voor hem. Zij had hem destijds ook ten huwelijk moeten vragen omdat hij daar ook zolang mee had getalmd. Het leven is beslissen, *monsieur,* je doet het of je doet het niet. Ze wapperde driftig met haar waaier alsof ze na jaren huwelijk nog steeds niets van haar man begreep. Al dat getreuzel is tijdverspilling, men moest modern zijn.

Karsch knikte instemmend. Zijn hele leven was één grote aarzeling geweest.

Ze boog zich voorover alsof ze hem wilde waarschuwen. 'We leven snel, zeggen ze, en als dat zo is, dan is alles ook snel voorbij, dus...' Ze fronste haar wenkbrauwen. Ineens leek ze de gevolgen van haar woorden niet meer te overzien. Daarna haalde ze bruusk haar schouders op en begon een geanimeerd gesprek met de achtergebleven vrouwen.

'Wel,' vroeg de salpeterhandelaar terwijl hij zich tot Karsch wendde, 'wordt het niet eens tijd dat u ook uw keus maakt?'

'Ik?' Een keus maken. Voorgoed een weg inslaan en niet meer op je schreden terugkeren. Daarvoor was hij min of meer ook op reis gegaan, vermoedde hij nu, maar zoals altijd had hij gewacht tot het lot zijn keuze zo zorgvuldig, maar ook zo onontkoombaar voor hem had uitgestippeld, dat er van enig dilemma geen sprake meer was. De plotselinge verschijning van Asta Maris – een speling van het lot – had hem wél onvoorbereid getroffen. Hulpeloos overgeleverd aan zijn onzekerheid en eindeloos gewik en geweeg had hij de noodzakelijke stappen tot toenadering voor zich uit geschoven, met als resultaat dat ze niet met hém maar met Totleben in een wit koetsje was weggereden.

'Ik maak geen keuzes,' zei Karsch. 'Ik word gekozen.' Het klonk hooghartiger dan hij bedoeld had, maar Moser had het al op zijn manier begrepen.

'Ja, ja, de uitverkorene,' hoonde hij. 'Uitverkorenen zijn iets van vroeger. Geniet er nu maar van, want straks zijn anderen aan de beurt. Dan zal de meerderheid beslissen. Over alles, of je dat nu leuk vindt of niet.' Hij sprong op. Karsch volgde werktuiglijk zijn voorbeeld. De drank rolde hem als een kogel door het hoofd. Toen hij zijn ogen weer opende zag hij dat Moser een kleine, donkere vrouw bij de arm had, die hij op onbeschaamde wijze inspecteerde. Keurend tikte hij haar op haar achterste, wat ze zich lacherig liet welgevallen. Intussen vervolgde hij zonder onderbreking zijn betoog.

'Dynamiek, daarom gaat het, Karsch. Handelen. Daden zijn belangrijker dan gedachtes.'

De vrouw ging hen voor een gang in en verdween door een deur onder een vale gaslamp. Karsch was achter hen aangelopen, niet goed wetend wat te doen. In het vertrek bevond zich, half verborgen achter een kamerscherm, een bed, slechts opgemaakt met een blinkend wit onderlaken. Al betogend gaf Moser het meisje een duw zodat ze er ruggelings op neerviel. Opnieuw lachte ze koket – misschien kon ze niet anders. De *senhor* wist van aanpakken.

'De twintigste eeuw is van mij, Karsch,' riep Moser, terwijl hij zijn jasje uittrok en in een hoek gooide. 'Van ons, gewone mensen. Wij zullen dan bepalen wat er gebeurt. Een gouden eeuw wordt het. Mijn God, een gouden eeuw.'

'Dat vrees ik ook,' zei Karsch. Hoewel het hem niet kon schelen of Moser het bij het rechte eind had of niet, stoorde hij zich aan 's mans triomfantelijke toon.

De salpeterhandelaar had het misschien niet gehoord, want hij had zijn hoofd al grommend in de boezem van het meisje begraven. Zich weer oprichtend zei hij tegen Karsch: 'De wereld zal nu naar onze smaak worden ingericht. We gaan afrekenen met jullie decadentie, jullie *Schöngeisterei*, jullie mystiek, jullie opgeblazen filosofen. We zullen voorgoed afrekenen met jullie Wagner en jullie Beethoven en hoe die herrieschoppers ook allemaal heten, we zullen alleen nog maar operette toestaan. De hele dag operette. De hele godganse dag *"Du, du, nur du allein..."* Ha, ha, ha. Hoor je dat, Karsch? *"Wiener Blut..."* Alles wordt jullie afgenomen, de dag, de nacht, de daad... De daad wordt van ons. Alle daden. En dan jullie hang naar het hogere omdat de gewone wereld jullie niet goed genoeg is... De wereld van de feiten, de daden, dat is de nieuwe wereld. *Dit* is de nieuwe wereld.' Hij sloeg de rok van het meisje terug. Zijn ademhaling piepte van opwinding, zijn pupillen waren even groot en donker als de knopen van zijn vest. Gehaast friemelden zijn onhandige vingers aan de klep van zijn broek. De nieuwe wereld giechelde.

Het laatste wat Karsch nog zag, was een bos zwart krulhaar die onder het hemd vandaan kwam, waaruit een exotische vrucht van wiebelend paars vlees opdook.

'Feiten, Karsch, niets dan feiten. Daar gaat het om,' hoorde hij Moser nog roepen toen hij al op de gang liep.

6

In een huurkoetsje op weg naar de haven defileerde de avond steeds maar weer voorbij, steeds weer eindigend bij de wiebelingen in het schaamhaar van de salpeterhandelaar. Ook als Karsch even aan niets wilde denken of om zich heen wilde kijken naar de stad en de nacht met de vreemde hemel, werden zijn gedachten telkens teruggezogen naar de uren die hij met Moser had doorgebracht, alsof hij te vroeg het toneel was afgerend, even vergetend dat hun voorstelling nog een vervolg zou krijgen. Het resultaat was dat de salpeterhandelaar almaar dwingender in zijn herinnering optrad, terwijl zijn snoeverige praatjes in werkelijkheid toch allesbehalve indrukwekkend waren geweest. Daar had hij tegenover hem aan tafel gezeten, de dikke demon van de gemelijkheid, zwetend van het ressentiment jegens iedereen tegen wie hij in al zijn overgeërfde kleinheid moest opkijken – want dat was het waarom het had gedraaid, al wat Moser Karsch had verweten, had hij zelf willen zijn. Hoe graag had hij zijn medemens willen kunnen vernederen en niet steeds in het neerdrukkende vermoeden geleefd dat *hij* altijd op een of andere wijze het kind van de rekening was, die de hoge heren onderling hadden opgemaakt – ten koste van hem.

Terwijl Karsch de salpeterhandelaar uit zijn hoofd probeerde te zetten, bemerkte hij toch ook een licht onbehagen bij zichzelf, dat hij anders, als hij wat minder had gedronken, misschien gemakkelijker had weggeredeneerd; de overtuiging van de Mosers van deze wereld dat zij, die nu nog aan de zijlijn stonden, weldra de macht zouden krijgen, liet hem niet los. Het was die even onbegrijpelijke als onherroepelijke wet van de eeuwige voortgang van alles, die tot dan toe aan Karsch was voorbijgegaan, die zich nu in de gedaante van een salpeterhandelaar had geopenbaard. Het was Karsch alsof hem zijn vrije wil was afgenomen en hij in een maalstroom van onafwendbare gebeurtenissen mee naar de diepten was gezogen, waar de Mosers hun kwartieren hadden.

Dat de onbezielde wereld der dingen zich aan de wetten van de natuur onderwierp, was voor hem altijd een zekerheid geweest waaraan hij niet tornde, zijn wetenschappelijke opvattingen waren erop gebaseerd – alleen, dat er een tegenspraak in schuilging was hem ook duidelijk. Al sinds de Pommerse godsdienstlessen was die hem telkens triomfantelijk voorgehouden: de schepping beschrijven was tot daar aan toe, maar hoe ver kon het oog zien en hoeveel verder niet de ziel? Nou? De wereld van de feiten was niet meer dan de wereld der oppervlakkigheden. Misschien was dat wel de *indirecte* oorzaak geweest waardoor zijn werk aan boord niet had gevlot: hij hoefde zich allang niet meer te verzetten tegen de wereld van de godsdienstles en hoefde niemand zijn onafhankelijkheid meer te bewijzen, maar tegelijk had hij ook moeten toegeven dat hij hier met zijn fototoestel en zijn bespottelijke messing meetapparaatjes niet veel wijzer werd. Zelfs als hij precies zou weten wat hij ermee zocht, hij zou het waarschijnlijk nooit vinden. Misschien was het er niet eens.

Eerlijk was eerlijk, met één ding had Moser gelijk gehad, een overgeërfde hang naar het hoger goed was ook in Karsch aanwezig, minder dan in zijn vader of zijn bijgelovige tantes, bij wie die wel eens de tafels wilde laten dansen, maar het verlangen was er. Het omhulde hem als een nauwelijks merkbaar aura, wie er een orgaan voor had kon het zien. Nu was gebleken dat die eerbiedwaardige traditie met een enkele schaterlach kon worden weggehoond.

Zo denkend in het huurrijtuigje op weg naar de haven van Rio de Janeiro voelde Franz von Karsch, die altijd zijn vertrouwen had gesteld in het onveranderlijke van alles, zich weerloos tegenover de wereld waarin hij leefde.

7

Op het moment dat Karsch de kade opreed, nam hij zich voor dat hij zich niet zoals zijn vader zou terugtrekken in zijn kamer om er de vlinders te prepareren en op te prikken, die hem door de mensen uit de omgeving werden gebracht of van verder weg werden toegestuurd. Toen hij jong was had Karsch het vertrek zoveel mogelijk gemeden omdat zijn vaders vitrines met vlinders hem tegenstonden. Hun vleugels waren zorgvuldig gespreid om hun schoonheid te tonen, ongeveer zoals Goetz Wyrow zijn huurmeisjes had bevolen de benen te spreiden, zodat hij het gebodene met een glas champagne in de hand gesoigneerd, zij het zonder enige deelneming, in ogenschouw had kunnen nemen. Karsch' vader voelde ook geen liefde voor vlinders. De beestjes waren hoogstens 'opmerkelijk' – een stopwoordje van hem – voor het overige dienden ze als alibi voor iets dat Karsch niet kon doorgronden. De vleugels van de beesten bestonden uit een teer gaas, bestoven met kleurig poeder dat op je vingers achterbleef als je ze onhandig beetpakte. Gaas en poeder, de wereld van zijn vader.

De schaduw van de Posen herinnerde hem eraan dat ze morgen weer zouden uitvaren. Hij zou weer alleen zijn met de zee, daarna terugkeren naar Duitsland, waar de straten gevuld waren met drommen Mosers die elkaar achterdochtig van onder hun dikke wenkbrauwen beloerden en elkaar salpeter verkochten. Karsch zou een van hen worden, als hij naar de wc ging zou hij ook zeggen dat hij 'even een vriend een hand ging geven' en alle Mosers zouden begrijpend lachen. Bij het opstaan van tafel zou hij nu ook een fluitende wind laten. Een arts had hem eens verteld dat het wetenschappelijk was vastgesteld dat een mens gemiddeld vijftien winden per dag liet. Ook de keizer. Nou dan. Karsch leunde op een bil en liet er een vliegen. Er zouden er straks nog veertien volgen. Feiten zijn feiten. De nieuwe tijden waren werkelijk veelbelovend.

Hikkend stapte Karsch uit het rijtuigje, moest zich eraan vasthouden om niet te vallen, vroeg aan de matroos van de wacht bij de valreep of *madame* Maris al was teruggekomen, waarna er werd teruggeroepen dat ze niet was gezien. Daarop klom Karsch weer in het rijtuigje en beval de koetsier om te draaien en terug te gaan naar de villa met de allegorische gipsnaakten, waar hij was ingestapt.

8

Op de trap van het bordeel aarzelde hij naar binnen te gaan. Als hij in Duitsland naar een gesloten huis ging, waren zijn lendenen halverwege al van opwinding met tintelingen volgestroomd, hier voelde hij zich alleen maar moe. Besluiteloos keek hij naar de tuin vol lelies. Ergens in de stad wandelde omringd door feestgedruis Asta Maris aan de arm van Totleben. Ze overwoog ongetwijfeld zich ook in Santiago te vestigen, Totleben zou daar een dienstwoning betrekken. Daarna zouden ze kinderen nemen met grote hoofden en Delftsblauwe ogen.

In de deuropening verschenen *madame* Pereira Pinto en haar man. Toen ze Karsch passeerden, bleef ze staan en keek met hem naar de lelies.

'Die hebben de jezuïeten uit Europa meegenomen. Om er de heilige maagd mee te eren. Bloemen van hier wilden ze daarvoor niet gebruiken, die vertrouwden ze niet. Bedorven natuur. Wist u, *monsieur*, dat we in Brazilië bloemen hebben die vlees eten?' Ze lachte, sloeg zedig haar doek om en ging haar man achterna.

Moser was nergens te bekennen.

9

's Ochtends durfde Franz von Karsch aanvankelijk zijn hut niet te verlaten. Schuw gluurde hij door de patrijspoort. Op de kade was een kraan bezig iets in het ruim te takelen. Mannen met vuile blote voeten zagen werkeloos toe. In het water tussen het schip en de kadewand dreef een dode vis te midden van los kisthout en afgekloven meloenschillen. De zon glansde dof op het water, dat door een ziekelijk vlies van fijn stof zijn heldere glinstering had verloren.

Karsch wendde de blik af. Tegen zijn zin schoot het hem te binnen hoe hij die nacht aan boord was gekomen. Struikelend, nog ruikend naar de vrouw die hem tegen betaling met bazige vingers achterover op het bed had geduwd. Toen hij zijn zaak had verricht, was hij dronken geworden. Hij had geroepen dat hij met de Braziliaanse zou trouwen, nee, daarom moest ze niet lachen. Ze zouden in een strooien hut aan een rivier gaan wonen en de hele dag vissen. Uiteindelijk was hij op handen en voeten de valreep opgeklommen, om aan dek van de Posen te worden opgewacht door de officier van de wacht en Moser, wiens gezicht één grote grijns was geweest. Nieuwsgierig, met de handen op de rug, had hij zich over Karsch heen gebogen, ongeveer zoals een politieofficier een lijk inspecteert.

Nadat Karsch zich grondig had gewassen, verscheen hij in de kleine eetzaal, waar hem een verlaat ontbijt werd gebracht. Hoewel een matroos had weten te vertellen dat mevrouw Maris aan boord was, zag hij haar tot zijn opluchting nergens. Hij had haar aanwezigheid niet kunnen verdragen, omdat hij zeker wist dat zijn schande voor iedereen zichtbaar was. Bovendien was de wrok dat ze Totleben boven hem had verkozen nog steeds levend. Wat hadden al die glimlachjes, die steelse aanrakingen tijdens de reis te betekenen gehad? Deed ze dat altijd, bij iedereen? Nee, eerlijk was eerlijk, van Moser moest ze niets hebben en Totleben had ze afstandelijker benaderd dan Karsch. Misschien dus toch zijn adellijke titel? Hij zou hem niet meer voeren. Hij zou nieuwe visitekaartjes laten drukken, zich uit de *Almanach de Gotha* laten schrappen. Terwijl hij dit overwoog keek hij naar zijn smalle, vrouwelijke handen die nog trilden van de rumpunch. Hij haalde de zegelring met de zwarte steen van zijn vinger en stopte hem in zijn zak.

Kapitein Paulsen kwam het eetzaaltje binnen, in gezelschap van twee mannen. De een was een inspecteur van politie, de ander, een man met bleke ogen, stelde zich voor als Czyb. Hij was van de ambassade van het Duitse Rijk in Rio de Janeiro en werkte op de afdeling consulaire aangelegenheden.

Hij en de inspecteur waren hier om navraag te doen naar een zekere Ernst Totleben. Of de heer Karsch enig idee had waar die gisteren was geweest.

Karsch schudde het hoofd. Totleben was gisteren met mevrouw Maris de stad ingegaan, misschien dat zij meer wist.

'Mevrouw Maris heeft haar hut vandaag nog niet verlaten,' merkte kapitein Paulsen op. 'Onder bepaalde voorwaarden kan ik haar daartoe dwingen, maar ik weet niet of al aan die voorwaarden is voldaan. Misschien dat mijnheer Karsch u toch verder kan helpen.'

'Is er iets gebeurd?' vroeg Karsch wat overbodig.

Czyb wreef bedachtzaam in zijn handen. 'Ja, dat er iets gebeurd is, staat wel vast,' zei hij na enig nadenken. 'De vraag is alleen, wat precies. De heer Totleben is met verwondingen in het ziekenhuis gebracht en wij – hij wees op zichzelf en de politieman – zouden graag de toedracht kennen.' De ambtelijkheid van die woorden deed hem zelfbewust de rug rechten. 'Wellicht kunt u mededelingen doen over de heer Totleben die ons met het onderzoek verder kunnen helpen.'

Wat kon Karsch over Totleben zeggen? Welbeschouwd niets; het weinige dat hij wist was wat iedereen aan boord wist, al het andere was het resultaat van gissingen.

'Ik weet niets.'

'Heeft hij u nooit verteld waarom hij uit Duitsland is vertrokken?'

Ja, ze hadden het er wel over gehad, hij zou leraar worden in Chili; verder had Totleben geen bijzonderheden losgelaten. Karsch had wel eens de indruk gekregen dat Totlebens reis naar Santiago een vlucht was geweest, al wist hij niet of dat ook echt zo was.

'Ah, een vlucht. Waarvoor?'

'Waarvoor een mens zoal kan weglopen,' antwoordde Karsch vaag.

'En dat is?'

'Het slechte weer in Duitsland.'

Czyb kon er niet om lachen.

Kort nadat de heren waren vertrokken, kwam Asta Maris de eetzaal binnen. Karsch volgde haar bewegingen, de grote dansende passen die het haar op haar rug lieten dansen... Abrupt stond hij op, begroette haar met een vormelijke buiging en maakte aanstalten te vertrekken.

Hem verwonderd tegenhoudend wilde ze weten of ze misschien iets had misdaan dat hij zo onaardig tegen haar deed. Om een antwoord te vermijden vroeg hij of ze al had gehoord dat Ernst Totleben gewond in het ziekenhuis lag. Zij was gisteren met hem weggereden, misschien wist ze wel meer over de toedracht van zijn ongeluk, misschien was zij erbij aanwezig geweest, misschien was zij wel de laatste geweest die hem had gezien. Het klonk onaardiger dan hij had gewild.

Ze had de kapitein en de heren inmiddels gesproken.

Karsch hoopte dat ze het daarbij zou laten zodat hij met goed fatsoen kon verdwijnen. Onder haar vragende blik voelde hij de Braziliaanse weer op zich bewegen, haar haar over zijn gezicht strijken –

opgesloten was hij in haar lichaam dat je hier voor een handvol muntgeld kon krijgen. De geur van bloed. *Slachterij in Pommeren. Mannen met voorschoten die dampwolken uit hun mond lachen en* schnaps *drinken. 's Avonds mist het en hangen er zwavelbanken over het land.* Zweet liep Karsch in de ogen. Meedeinend met de bewegingen van de vrouw staarden donkerpaarse tepels hem gemelijk aan, nachtvlinders sprongen om de lamp.

Alles wachtte tot dat weeïge, dat tintelend slap makende gevoel over hem kwam; het wachtte ook op dat gevoel van weerloosheid dat verder ging dan alleen dat ene moment van verlossing, dat alle andere lust die hij kende zou overstijgen, om tot dat ene te geraken, dat eens uit de stinkende duisternis van de aarde was opgerezen om zich nu in hem te verspreiden.

De sensatie verdween echter zonder zijn bestemming te hebben vervuld en zonder een spoor achter te laten, de fijn gazen sluier die zijn blik had afgeschermd trok op en de wereld hervond haar scherpe omtrekken; tegelijk kwam ook de melancholie dat hij dit weinige dat al weer verdwenen was toch ook nooit meer ongedaan kon maken. Hoe lang zou hij zich herinneren dat hij hier was geweest bij een jonge vrouw, die zich nu bij een wasbekken van onderen schoon spoelde – in het licht van de olielamp bijna zo lieflijk als op een schilderij van een Hollandse meester – en daarna zakelijk met een doek op hem afkwam om hem droog te vegen, alsof hij zojuist een medische behandeling had ondergaan? Buiten in de lelies ruisten de krekels.

Zodra Asta Maris was binnengekomen, moest ze van zijn misstap geweten hebben. Vrouwen kunnen de aanwezigheid van rivales ruiken, meende Karsch, zijn handen onder de tafel verbergend.

Asta Maris glimlachte. 'Nee, Franz, ik weet van niets. Ernst Totleben is tot het stadscentrum meegereden en daar uitgestapt.' Er was even iets van onzekerheid in haar houding, maar ze rechtte haar rug en verliet het vertrek.

10

Het ziekenhuis had Totleben een kamer voor zich alleen gegeven. Zijn gezicht was aan een kant bont opgezet, de zwelling had er een oog dichtgedrukt, waardoor hij aan die kant op een slapende baby leek. Nee, hij had nu niet zoveel pijn meer, de dokter had hem iets te drinken gegeven dat werkte, al werd hij er ook slaperig van en kon hij zijn gedachten moeilijk bij elkaar houden.

Voor Karsch het had kunnen vragen vertelde Totleben dat hij niet wist wat er was gebeurd omdat hij onverhoeds van achteren was aangevallen. Toen hij bijkwam was hij al in dit ziekenhuis gebracht.

'Maar zoiets kan toch niet zomaar gebeuren op klaarlichte dag en midden in een stad als deze?'

'Midden in de stad? Hoe komt u daarbij?' Totleben klonk verbaasd.

'Asta Maris heeft u toch in het centrum afgezet?'

Totleben was even stil. 'Heeft ze dat gezegd?'

'Is het dan niet zo?'

Totleben woog de voor- en nadelen van zijn antwoord tegen elkaar af. 'Nee,' zei hij, 'niet helemaal. Eerlijk gezegd: helemaal niet.'

Hij hees zich overeind, maar liet zich met een pijnlijk gezicht weer terugglijden. Kennelijk was hij niet alleen aan het hoofd gewond. 'Ze heeft me meegenomen naar een Chinees, zo zag hij er tenminste uit. Ze schenen elkaar te kennen, want ze begroetten elkaar als oude vrienden; ze spraken Nederlands met elkaar, geloof ik. Vrijwel meteen verdween ze met hem in een kamer, daarna heb ik haar niet meer gezien. Na een half uur begon ik me te vervelen en ging de straat op. Daar moet het zijn gebeurd. Dat is alles wat ik weet.'

Toen Totleben merkte dat zijn relaas Karsch had teleurgesteld – *Was dat nou alles?* – maakte hij een vermoeid gebaar. 'Nee, het is niet alles, maar het is nu eenmaal een lang verhaal,' zei hij. 'Een andere keer zal ik de rest vertellen.'

Beiden wisten dat die nooit zou komen.

'Stoor ik?' Het hoofd van Moser stak om de deur, even later gevolgd door de rest van de salpeterhandelaar.

Von Karsch merkte dat hij een kleur kreeg. 'Ja,' zei hij ijzig, 'u stoort. U stoort *altijd*.'

Moser wapperde kalmerend met zijn handen. 'Tut, tut, nou, nou, meneer de graaf. Goed, goed, ik begrijp dat ik u een excuus schuldig ben.' Hij trok de hoed van het hoofd en drukte hem aanstellerig tegen de borst. 'U moet weten, Totleben, ik heb mij gisteren iets te veel laten gaan. Rumpunch.

U kent dat. Iedereen drinkt per slot van rekening wel eens te veel rumpunch. Nu ik hier toch ben, gaat het weer een beetje, Totleben? Ik heb meneer de graaf hier gisteren de toekomst geschetst; door toedoen van de rumpunch misschien iets te voortvarend, vrees ik. Ik schilderde hem het verschiet van een tijd...'

'Totleben is gewond, Moser,' onderbrak Karsch hem. 'Laat hem met rust.'

'Ja, dat zie ik dat hij ziek is. Ik wilde hem alleen maar uitleggen waarom...'

Karsch onderbrak hem andermaal. 'Niemand heeft iets tegen uw opvattingen, al heb ik wel iets tegen zekere kanten van uw fysiek, die u mij gisterenavond helaas niet heeft bespaard.'

Moser grijnsde half beschaamd, half uitdagend, veegde zijn gezicht af en zette zijn hoed weer op en vroeg Totleben nogmaals hoe het met hem ging.

'Ik overleef dit wel,' antwoordde deze.

'Heeft hij al verteld waar hij en *la* Maris zijn geweest?' wilde Moser van Karsch weten.

'Ja.'

Het antwoord stelde Moser teleur. Hij klakte nadenkend met zijn tong. 'Wel,' zei hij, 'even goeie vrienden. Ik kwam eigenlijk alleen maar afscheid nemen van onze goeie Ernst, nu hij hier blijft en vanavond niet met ons meevaart.'

Verwonderd wendde Karsch zich tot Totleben.

Deze knikte, hij bleef hier, hij voelde zich niet goed genoeg om te reizen.

Moser grijnsde en klopte Totleben met wat 'ouwe jongens' voorzichtig op de schouder.

Von Karsch vroeg hem of hij iets kon doen, maar Totleben schudde het hoofd en sloot de ogen.

Later, op de gang, vroeg Karsch hoe Moser zo zeker had geweten dat Totleben niet met de Posen verder zou reizen. De salpeterhandelaar wees naar een politieagent die in de gang tegenover de deur van de ziekenkamer zat te suffen en die Karsch zoëven niet had opgemerkt.

'Wat betekent dit?'

'Wel, is het u dan niet opgevallen dat de ramen van Totlebens kamertje tralies hadden?' vroeg Moser. 'En dat is niet tegen de inbrekers. Ze willen hem hier nog even houden.'

Karsch voelde zich dom.

Een non, die er met haar wit gevleugelde kap uit zag als een grote lelie – eveneens een die door de jezuïeten hier was gebracht – duwde een karretje naar de deur, bitste iets tegen de duttende politieagent, die opschrok en verwilderd in het rond keek, en ging vervolgens de ziekenkamer binnen. Over haar schouder kijkend ving Karsch nog een glimp op van Totleben. Hij had zich op zijn zij gedraaid, de rug naar de deur gekeerd. Het laken was van hem afgegleden, door zijn bezwete hemd schemerden bloedvlekken die door het verband heengedrongen waren. Onwillekeurig zag Karsch er de rug van de stervende Galliër in, die in Rome, in het Capitolijns Museum, al eeuwen verslagen het hoofd boog. Geërgerd wendde hij zich af. De noblesse van dat beeld, glanzend door het patina van eeuwenlange bewondering, dat Karsch in een kleine bronzen replica op zijn bureau had staan, had natuurlijk bitter weinig te maken met de smoezelige rug van de gymnasiumleraar, die geen heldendom maar eerder iets schuldbewusts opriep, alsof hij zijn onheil zelf over zich had afgeroepen – ook al was hij onverhoeds door een bende straatrovers neergeslagen.

Moser stak een sigaar op. 'Totleben kan wel roepen dat hij liever hier blijft,' zei hij, 'maar een andere keus heeft hij toch niet.'

Karsch' straatroverstheorie verdampte weer. 'Heeft hij volgens u dan iets misdaan?' vroeg hij wat onnozel.

Moser haalde de schouders op. 'Weet ik veel. Hij heeft natuurlijk niet genoeg geld om de politie om te kopen. Die heeft hier vast hoge tarieven.' Het scheen hem koud te laten dat de gymnasiumleraar, die hem zo vaak had afgetroefd, nu tegenslag had.

11

Op het Duitse gezantschap kreeg Karsch de ambassaderaad Czyb te spreken. Hij was een burgerman en verkeerde daarom regelmatig in het ongewisse omtrent de precieze plaats die hij op de maatschappelijke ladder innam. Op de sporten waar hij stond was het dringen. Toen Czyb Karsch' volledige naam las en het gravenkroontje in blinddruk op het visitekaartje zag, veranderde zijn houding op slag. Hij liet iets te drinken halen, schoof een stoel bij voor zijn gast, ging zelf onder het portret van de keizer aan het bureau zitten, drukte zijn vingertoppen voldaan tegen elkaar: of meneer de graaf naar Brazilië was gekomen om te jagen. O, wetenschappelijk onderzoek. Czyb hoefde niet meer te weten. Of hij vragen mocht uit welk deel van Duitsland de familie Karsch-Kurwitz kwam. Ah, Pommeren, daar had ook Czyb familie en sinds enige tijd een heel behoorlijk landgoed. Het grensde bijna aan bezittingen van de Bismarcks; die kende Karsch uiteraard. Adel onder elkaar. Merkwaardige lui trouwens, die Bismarcks, maar dat wist Karsch natuurlijk al. Ze gingen op jacht in hun lange onderbroek. Had de landgoedbezitter Czyb hoogstpersoonlijk een keer meegemaakt. Een achterneefje van de kanselier, om vier uur 's ochtends... Ha, ha. Ja, die Bismarcks waren me een stel. Allemaal bakkebaarden, zoals de oude. In deze tijd nog. Nota bene. Bakkebaarden. Maar goed voor Duitsland, dat wel.

Wablief? Ah, Totleben. Wat was daarmee? Waarom deed meneer de graaf eigenlijk navraag naar deze figuur? Czyb had hem in het ziekenhuis laten bezoeken door een ondersecretaris. Het ontbrak hem aan niets.

Karsch antwoordde dat hij het min of meer als zijn plicht zag. Ze waren reisgenoten. Ze hadden dan wel niet meteen vriendschap gesloten, maar zo'n verblijf aan boord schiep toch een band. Terwijl Karsch zijn bezoek nader verklaarde, vroeg hij zich af of Czyb in de gaten had dat hij maar wat zei. Het was helemaal geen grote menslievendheid die hem naar de ambassade had gedreven, hij had alleen maar te weten willen komen waar Asta Maris was geweest en hij had gehoopt dat Czyb hem daarbij zou kunnen helpen. Tegenover zichzelf gaf hij grif toe dat hij met dit bezoek overdreef. Hij gedroeg zich als een afgewezen minnaar die op wraak zon; het lukte hem maar niet om haar van zich af te zetten. Misschien pas dan als hij alles over haar wist, wanneer ze geen geheimen meer voor hem had, wanneer hij haar raadsels had ontcijferd en het welhaast magisch aura dat haar omgaf gedoofd was en ze naar de wereld van de stervelingen was teruggekeerd – naar hem.

Helaas wist Czyb het fijne niet van het geval Totleben, dat was ook zijn taak niet als ambassaderaad, vond hij. Er was wel iets merkwaardigs mee. De ambassade was op de zaak attent gemaakt door een onbekende die was komen melden dat er een Duits staatsburger gewond in het ziekenhuis lag. Daar bleek dat de politie hem onder bewaking had gesteld, hetgeen erop neerkwam dat hij onder arrest stond. Czyb was uiteraard naar de politie gegaan om informatie in te winnen, dat was zijn taak, en had daar Totlebens papieren ingezien. Czyb had het bedrog meteen doorzien, hij zat al wat jaartjes in de dienst. Het paspoort van deze meneer was vals geweest, het stond dus niet eens vast of deze meneer wel was voor wie hij zich uitgaf. Vervolgens had Czyb de zaak telegrafisch aan Berlijn voorgelegd en wachtte nu op antwoord. Zolang hij dat niet had, kon hij niets doen. Neemt u nog een glaasje, meneer de graaf, het is goeie; wat zeg ik: de beste. Wel, wel, dat u uit Pommeren komt, wat is de wereld toch klein.

Toen hij weer buiten stond, overwoog Karsch of hij nog bij het politiebureau zou langsgaan voor meer inlichtingen, maar hij had Czyb verzuimd te vragen welk district de zaak onder zich had. Misschien dat ze op andere bureaus iets wisten over Chinezen die Nederlands spraken, maar hij verwierp het plan weer, hij sprak geen Portugees. In de tussentijd vroeg hij zich vruchteloos af waarom een leraar aan een gymnasium op een vals paspoort naar Santiago de Chile reisde. Er ging een vlaag van jaloezie door hem heen: achter dat onaangedane uiterlijk met die slaperige blik was dus meer dan één leven schuilgegaan. Karsch probeerde zich te herinneren of er ook momenten waren geweest waarop Totleben er iets van had laten merken, maar het enige dat hem te binnen schoot was het pathos van de rug met de doorschemerende bloedvlek, en hij moest moeite doen om zijn afkeer te bedwingen. Hij had geen hekel aan Totleben – misschien wel wanneer hij de reden voor dat valse paspoort kende – maar het ergerde hem dat hij hier, mijlenver van huis, onverwacht in het intieme bestaan van onbekenden als Totleben, Moser, ja ook Asta Maris verstrikt was geraakt. Hij was een van hen geworden, hij stond bij wijze van spreken met de hoed in de hand tussen hen in op een plein om de keizer voorbij te zien komen – gejuich nadert, ogen glimmen, mensen zwaaien en drukken zich in hun geestdrift tegen Karsch aan om niets te missen van de snor en de adelaar op de helm – en hij, Karsch, zwaaide mee omdat hij niet de moed had om met samengeperste lippen en de handen over elkaar geslagen de keizer te zien passeren en naderhand de woedende blikken van de hoera-patriotten te trotseren, die van hem wilden weten waarom hij zijn hoed niet in de lucht gegooid had toen 'onze Willi' voorbijkwam en daarop niet zou durven zeggen dat hij van hen walgde, niet omdat ze van de keizer hielden, maar omdat ze tegen hem, Karsch, aanschurkten en hem in zich opnamen, zijn wil en wezen lieten opgaan in hun duizendkoppige leegte...

12

Hij zou er niets over zeggen. Er was nooit iets gebeurd. Totleben? Ken ik niet. Moser? Nooit van gehoord. Karsch' tong zou weigeren hun namen uit te spreken.

Toen hij na het bezoek aan de ambassade weer op de Posen was teruggekeerd, was het al bijna middag. Onderweg had hij ergens iets gegeten, nu ging hij aan dek in zijn hangmat liggen om wat te slapen. De glaasjes van de ambassaderaad hadden de rumpunch van de avond tevoren tot nieuw leven gewekt.

Tegen vieren werd hij wakker. Niet ver van hem vandaan luierde Asta Maris in een dekstoel. Tersluiks sloeg hij haar gade. Hoe langer hij keek, hoe raadselachtiger en begeerlijker ze werd, maar tegelijk wekte ze bij hem ook het verlangen haar te verwonden, uit woede dat ze macht over hem had en hij machteloos was en dat hij haar zou gehoorzamen als ze het van hem verlangde. Allemaal tegenstrijdigheden, die in de borst van Karsch samensmolten tot een bitterzoet amalgaam dat het kenmerk van elke verliefdheid is. Onwillekeurig richtte hij zich op om haar beter te kunnen gadeslaan, daarmee zichzelf verradend. Ze lachte, zette haar strooien hoed met de linten op en kwam naar de hangmat.

Of hij met haar meeging naar de stad.

Ze wilde een wandeling maken door een wonderschoon park.

Het lag maar op een half uur lopen van de haven.

Ze zou het op prijs stellen als hij meeging.

De Posen vertrok op zijn vroegst pas vanavond.

Zinnetjes die in een steeds zoeter lokkende krul eindigden, alsof hij en Asta Maris al jaren waren getrouwd en zij inmiddels wel wist dat ze hem moest verleiden om hem mee te krijgen naar tuinen en parken. Een warm, blozend gevoel van geluk vloeide hem aan. Wandelen in het park, mijn God, daar was hij goed in! Zijn hele familie wandelde in parken en ook Agnes Saënz had er een uitgesproken voorkeur voor. Hij liet zich uit de hangmat glijden.

Nederlandse Chinezen in Rio de Janeiro? Nooit van gehoord.

Ze namen een rijtuigje. De linten van haar hoed wapperden in de wind.

Totleben? Moser? Wie zijn dat?

Onderweg wees ze hem een oude jezuïetenkerk, maar verder zei ze niets van belang.

Het park was Europees van ontwerp, maar verder in alles exotisch. Een overdadige weelde aan planten en bloemen omgaf de brede lanen die werden overschaduwd door boomkruinen waaruit guirlandes van witte en roze bloemen neerhingen. De lucht was daar zwaar van geuren, die soms in kleine, zoete druppeltjes aan gezicht en handen leken te blijven kleven.

Niets scheen vat op Asta Maris te hebben. Terwijl ze met haar wiegende pas naast hem voortging, was het alsof ze zich met haar hoofd in een koele stilte ergens in het hoge noorden van de wereld bevond. Meestal kregen mensen van daar hier rode hoofden en een natte rug. Maar zij..., als zij bewoog, tinkelde ergens een aeolusharp van stukjes paarlemoer. Ze werd steeds doorzichtiger, zo leek het, haar vingers die de parasol vasthielden, waren knokiger dan hij zich herinnerde.

Acteurshanden of pianohanden?

Ze praatte aan een stuk door tegen hem en in haar stem weerklonk geestdrift over alles wat ze zag. Ze wees papegaaien na, tuurde naar een vlinder, rook aan bloemen, ontdekte een kolibri en leunde af en toe op zijn gewillige arm wanneer ze, een struikeling veinzend, tegen hem aan viel.

Karsch schraapte zijn keel en keek glimlachend om zich heen. Hij was gelukkig.

Haar leugentjes en halve waarheden? Misverstanden, allemaal misverstanden.

Ze zei dat ze vroeger in Nederland vaak naar de botanische tuin van de Leidse universiteit was gegaan. Toen hij haar vroeg of ze daar geboren was schudde ze het hoofd. Zulke dingen deden er niet toe als je hier was, vond ze. Iedereen is ergens geboren. Ze had zich eens laten uitleggen dat elk punt op de aarde even ver van haar middelpunt af stond en dat daardoor in wezen alle plekken op de wereld gelijk waren.

Karsch knikte en vroeg niet wat dat middelpunt er eigenlijk toe deed. Hij wilde niets verstoren, dus ook niet zeggen dat zij voor hem het middelpunt van alles was, de sereniteit van de wandeling moest intact blijven. Hij schreed naast haar voort, het hoofd licht opzij geneigd om niets van haar te missen. Misschien moest hij hier blijven, haar ook daartoe overreden om verder hun dagen in dit park te slijten. Om zich heen kijkend voelde hij zich op zijn gemak, misschien was hij toch wel een man van de tropen.

Tot zijn verwarring sprak ze over hém. Hij wilde dat ze zweeg. Ze had het over zijn wetenschappelijke werk waarvan ze niets wist en waarover ze alles wilde weten. Woorden van fondant, uitgesproken op de punt van een bankje, de handen in de schoot gevouwen – ook hier het hoofd scheef. Alleen al de sierlijk gebogen hals en de linten die behaagziek de welving volgden...

Karsch trok zich terug achter zijn muren. 'Ik ben niets bijzonders,' zei hij lacherig. 'Ik heb nergens talent voor. Ja, voor wis- en natuurkunde een beetje, maar voor de rest niet. Ik geniet ook van vergezichten als ieder ander en van mooie muziek, maar gewoon altijd op hetzelfde moment als ieder ander er ook van geniet.'

De lach viel van zijn gezicht. Hij wendde het hoofd af. 'Ik vlieg in de grote zwerm, maar zal nooit de voorste vogel zijn. Ik weet nu dat die dat bij toeval is, dankzij de vorm die de zwerm heeft aangenomen, niet omdat hij die plek heeft veroverd. Misschien dat ik daarom een ontevreden mens ben, Asta. Maar dat valt niemand op, omdat iedereen ontevreden is. Ontevredenheid is misschien wel een grote deugd.'

Ze sprak hem niet tegen. Op dat moment bemerkte Karsch even een kilte in zich, die hij meteen probeerde te verjagen. Hij lachte luid en deed iets joligs dat hem niet goed afging. Ze had haar hand troostend op zijn arm willen leggen, maar hij was al opgesprongen, om onmiddellijk weer te gaan zitten in de hoop dat haar hand alsnog haar doel zou bereiken, en sprong weer op toen die in plaats daarvan de parasol pakte.

Er was iets verkeerd gegaan. Ze wandelden nog eens honderd meter in stilte, probeerden een paar keer een gesprek te beginnen, dat telkens met de openingszin stierf.

Ten slotte stelde Karsch voor om terug te gaan naar het schip, ze wilden toch niet te laat komen.

Op de terugweg passeerden ze weer de kerk van de jezuïeten.

'Kijk...,' begon ze en hield daarna haar mond.

Witte lelies en vleesetende planten.

Karsch keek een andere kant op. Hij herinnerde zich de zinnetjes die Moser in Lissabon van een vodje papier had voorgelezen dat hij in een asbak had gevonden. '*Ik ben niets. Ik zal nooit iets zijn. Ik kan ook nooit iets willen zijn. Afgezien daarvan koester ik alle dromen van de wereld.*'

Het laatste was niet op hem van toepassing.

13

Op de kade sloeg een kleine man hun bewegingen nauwkeurig gade. Toen ze aan boord wilden gaan, hield hij Karsch staande.

Asta Maris was al doorgelopen.

Vragend keek Karsch neer op zijn donkere gezicht, dat verlegen lachte en iets zei dat Karsch niet verstond. De tweede stuurman van de Posen, die onderaan de valreep toezicht hield op het laden, had het wél verstaan.

'Hij vroeg of u met het schip meeging,' legde hij uit en hij voegde er aan toe: 'Die vent hangt hier de hele dag al rond, hij heeft even aan boord mogen kijken en zit nu de hele tijd daar bij de valreep in zichzelf te zeveren. Hij had nog nooit de zee gezien, zei hij, laat staan zo'n schip met vier bomen.'

De man pakte Karsch bij de arm en stelde hem een dringende vraag.

'Hij wil weten waar u naartoe gaat,' vertaalde de tweede stuurman.

Karsch haalde de schouders op. 'Nergens. Daar ergens heen,' zei hij en wees naar de zee. 'Ik weet het niet.'

Het gezicht van de man begon te stralen.

'Hij begrijpt dat u het niet weet,' zei de tweede stuurman. 'Hij wil weten of u een droom gehad heeft.'

'Nee, ik doe aan wetenschap,' antwoordde Karsch verveeld en wilde de valreep opgaan.

De stuurman aarzelde, misschien kon hij geen vertaling voor het woord 'wetenschap' vinden. Intussen doorzocht de man de tas die hij bij zich had. Hij diepte een bundeltje op waarin een stukje leer, een veer en nog iets anders waren samengebonden en gaf het aan Karsch. Vragend keek deze naar de tweede stuurman die lachend antwoordde dat het volgens de gever een amulet was, dat hij nodig kon hebben. Hij die zoekt wat de goden verborgen hebben, weet nooit waar hij naartoe gaat, scheen de man te hebben gezegd – of iets van gelijke strekking.

'Wat moet ik moet deze rommel?' Humeurig bekeek Karsch het amulet, dat niet geheel fris rook; een laatste restje verschaalde rumpunch in zijn hoofd speelde ineens op. Karsch duwde het bundeltje terug in de handen van de man, die het – *'No! No! No!'* – weigerde terug te nemen. Hij deed een stap achteruit en begon aan een lang relaas tegen de stuurman die het maar met moeite scheen te kunnen volgen.

'Hij zegt dat hij een maand geleden zijn huis en land heeft verkocht omdat hij een droom heeft gehad waarin hem werd opgedragen om op reis te gaan. Eerst dacht hij dat hem zo'n droom gezonden was omdat hij weldra zou sterven, zo denken ze erover bij zijn volk; meneer is een soort indiaan... Maar hij leeft nog steeds. Nu hij het schip heeft gezien en iemand heeft ontmoet die ook zonder bestemming reist, gelooft hij dat hij van zijn plicht te reizen bevrijd is en dat ú die verder moet vervullen tot u op uw beurt iemand ontmoet die zonder doel reist. Hij beweert dat hij dankzij u nu vrij man is.' De tweede stuurman aarzelde. 'Als ik het tenminste allemaal goed heb begrepen.'

De reiziger zonder doel keek Karsch vol verwachting aan en begon weer te praten, naar hem te wijzen en van hem naar de zee.

'Hij wil natuurlijk geld zien,' merkte Karsch wrevelig op.

De tweede stuurman vertaalde de opmerking in een vraag. De indiaan lachte verlegen, keek naar zijn tenen, zei iets in een taal die de stuurman kennelijk ook niet verstond en lachte maar weer eens.

'Als ik het niet dacht.' Tevreden dat de menselijke aard zich ook hier niet verloochende, gaf Karsch de man zijn laatste Braziliaanse muntgeld.

Boven aan dek was Asta Maris nergens meer te zien, beneden op de kade telde de man ingespannen zijn verdiensten. Karsch bekeek het amulet. Hij kende er genoeg die het bijgelovig bij zich zouden steken, niet wetend dat in alle exotische havens van de wereld lui rondhingen die met hun hocus-pocus reizigers lastigvielen. Vroeger zou hij het prul wel hebben bewaard om er in Duitsland over te kunnen vertellen, maar vandaag had hij voor alles zijn geduld verloren.

Hij gooide het amulet over de reling en ging naar zijn hut.

14

Later die middag kwam de politie Totlebens spullen halen, zijn schuldigheid stond kennelijk vast.

III

I

Zuidwaarts.

Stevige bries. Middelhoge golven. Zeegang vijf.

Sinds de Posen uit Rio de Janeiro was vertrokken, had Karsch geen enkele waarneming gedaan en geen foto gemaakt, hij had elke wetenschappelijke belangstelling voor de zee verloren. Moser, die zich met verontschuldigingen en correct gedrag weer in Karsch' nabijheid had gemanoeuvreerd, had het gemerkt, maar zijn commentaar beleefd voor zich gehouden.

Oudergewoonte sprak de salpeterhandelaar tijdens de wandeling over de politiek en gaf hij bespiegelingen over de krachtmeting der grootmachten, zij het steeds vanuit het oogpunt van de gewone man, van iemand als hij, die nu nog met de hoed in de hand aan de kant stond wanneer de heren met hun bepluimde steken langsreden. Hij was geen socialist, als Karsch dat misschien dacht – integendeel, hij was een gewaardeerde kracht bij een gerenommeerd handelskantoor die zich eenmaal per week waste, maar zeker, als mens was hij een voorstander van een toekomst zonder bepluimde steken, van een waar de *feiten* en de *werkelijkheid* in een rijtuig werden rondgereden. Aan alles kwam een eind, ook aan de oude orde. Als de oorlog waar iedereen reikhalzend naar uitkeek eenmaal daar was, zou alles anders worden. Zijn blik zwom dromerig weg, waarschijnlijk een visioen van een samenleving achterna waarin de Mosers het voor het zeggen hadden. Karsch probeerde het zich voor te stellen, maar kwam niet verder dan een lange straat met aan weerskanten eindeloze rijen eendere huizen, daartussen hing als een grauwgele damp de geur van witte kool naar gestichtsrecept.

Zich losschuddend van zijn rêverie schraapte Moser zijn keel en mompelde dat in de oorlog het staal telde, en niet de pluimen op je hoofd.

Na de politiek kwam Totleben aan bod. Telkens bracht Moser nieuwe oorzaken naar voren die tot Totlebens verwondingen konden hebben geleid. Geen zee ging hem daarbij te hoog. De ene keer rook hij politieke motieven. Een intellectueel als Totleben, iemand zonder duidelijk belang of vaderland, kon gemakkelijk een anarchist zijn, een bommenlegger als ooit Ravachol. Wie weet had hij in Rio de Janeiro met geestverwanten samengezworen om de wereld omver te werpen. Een andere keer meende Moser te weten dat Totleben bloedend op de trappen van een kerk was gevonden omdat hij primitieve gelovigen in achterbuurten met zijn goddeloze praatjes tot razernij had gedreven.

Moe van alle opgewonden speculaties merkte Karsch op dat Asta Maris het geheim van Totleben moest kennen.

'Spreek haar erover aan,' zei hij.

De salpeterhandelaar knikte. Ja, zij wist het, maar ze was sinds Rio de Janeiro niet aan dek verschenen of in de eetzaal. Overigens was hij er nog niet zo zeker van of ze hem ook antwoord zou geven. Ze hield afstand tot hem en bovendien kon er wel eens iets tussen die twee geweest zijn, tussen *la* Maris en Totleben. Wát wist hij niet. Had Karsch soms iets gemerkt?

Tersluiks nam de salpeterhandelaar hem op, zijn gezicht afzoekend op aanwijzingen die hem konden vertellen wat er in de hydrograaf omging en hoe hij de geschiedenis met Totleben en Asta Maris had opgenomen. Maar hij werd niets wijzer, Karsch deed net alsof hij niets had gehoord. In arren moede begon Moser voor de zoveelste keer aan een nieuwe analyse van Totlebens ongeluk en probeerde zich hun gesprekken te herinneren om er flintertjes belastend materiaal uit te zeven.

Zo zeilde Totleben mee naar het zuiden.

2

Karsch lag verveeld op zijn bed en luisterde of hij geluiden uit de hut van Asta Maris kon opvangen. Af en toe meende hij gestommel te horen, dat zonder dat hij er iets uit kon opmaken weer opging in het gemompel van de golfjes tegen de scheepswand. Ook toen hij zijn oor tegen de planken afscheiding drukte, kon hij door de murmelende geluiden van buiten niets onderscheiden. Het was alsof er overal om hem heen gesprekken werden gevoerd die hij wel kon horen, maar niet kon verstaan. Hij was een buitengeslotene geworden, doof voor de zee – al kon het ook zijn dat hij nu pas hoorde hoe onbegrijpelijk ze was.

Wat zou het. Hij had er geen interesse meer in. Hij zou nog wel enige tijd, misschien wel jaren, de schijn kunnen ophouden dat hij een toegewijde hydrograaf was, die trouw zijn artikelen schreef, maar hij geloofde niet langer dat hij nog iets zou willen bewijzen, dat hij de geleerde wereld verstomd wilde laten staan van zijn inzichten, om ten slotte in de aula zijn loopbaan te bekronen met een olieverfportret in pronklijst. Dat alles was voorbij. Ook deze reis had zijn al wegkwijnende ambitie niet meer tot leven kunnen brengen.

Maar wat dan? Hij ging een paar keer onrustig verliggen en probeerde zichzelf tevergeefs een nieuwe toekomst voor te stellen waarin hij een bewonderd man zou zijn. Maar waarom bewonderd? De dertig al voorbij had nog geen van zijn jaren willen glanzen of sprankelen van geest; nooit hadden ze hem, al was het maar voor even, een besef van eigen heerlijkheid gegund. Nu er ineens van alles van hem afgleed en hij steeds naakter en vrijer over het scheepsdek wandelde, kwam ook het moment dichter bij dat hij de kaarten opnieuw kon schudden. Dat zou de reis een nieuwe zin geven: dat hij onderweg naar Valparaiso zijn oude vel van zich zou afstropen en – wie weet – samen met Asta Maris... Er dook iets lichts in hem op dat daar nog niet eerder was geweest; het was alsof hij geen vaste bodem onder zijn voeten had, de zwaartekracht trok niet meer aan hem, de aarde liet hem even los. Toen zweefde hij weer terug, wikkend en wegend als een veertje, met het voornemen bij Asta Maris aan te kloppen en haar toe te roepen dat Rio de Janeiro achter de horizon was verdwenen, dat hij de mislukte wandeling in het park allang was vergeten; van wat zij en Totleben misschien hadden gehad, wilde hij niets weten. Wie met iets nieuws begon, moest het verleden met rust laten, nietwaar?

Hij vermande zich, schikte zijn haar, trok zijn kleren recht en klopte op de deur van Asta Maris. Toen er niet gereageerd werd herademde hij en durfde hij wat harder te kloppen.

Opnieuw niets.

Hij legde zijn oor tegen de deur.

Stilte. Misschien sliep ze.

Ze was ook niet aan dek. Nog nagloeiend van zijn voornemens slenterde Karsch wat heen en weer, keek verstrooid naar de matrozen die met een zeil in de weer waren, struikelde over een touw en ging ten slotte verveeld in de dekstoel zitten waarin Totleben altijd zijn boek had gelezen. Hij sloot zijn ogen en dook onder in de vertrouwde dagdroom, die hem het onbereikbare paradijseiland met de blauwe heuvels toonde, dat zich altijd maar wazig ver van elk bekend heden bevond en zich vroeger, toen hij jong was en nog niet wist dat hij hydrograaf zou worden, steeds aan hem had getoond zonder dat het toestond dat hij aan land ging; telkens wanneer Karsch dat probeerde, veranderde het als een Proteus terstond van gedaante. Hij had er kleine witte huizen op de flanken van de heuvels gezien, een kerktorentje en een strand met boten, maar even vaak ook was alles kaal geweest of bedekt met een tropisch oerwoud. Eenmaal, tijdens een koortsaanval, had Karsch het als een chocolade-eiland gedroomd, omspoeld door een zee van *Kirschwasser* waarin morellen dobberden. Waarom hij toch altijd visioenen van dat eiland kreeg en niet van een naakte vrouw met rood gezogen tepels of de met goud behangen grot van Ali Baba of desnoods een villa met cipressen aan een Italiaans meer, hij wist het niet. Misschien had hij ook geen talent voor het onderbewuste.

Zijn lichtheid van zoëven was hij al weer kwijt. Misschien moest hij zich bij thuiskomst alsnog bij het leger melden en daar wachten op Mosers oorlog. Misschien had hij gelijk en zou de wereld ervan opkikkeren. Het verschil tussen voor en tegen, ja en nee kon je daar gewoon aflezen aan de snit en kleur van het uniform, daarna hoefde je alleen maar ervoor te zorgen raak te schieten. Maar voor het leger bestond hij niet, daarvoor had zijn vader al gezorgd, zeventien jaar geleden – of was het achttien?

Hij was nog zestien. Met Pasen was hij met zijn nicht Bettine het huis ontvlucht. Verveeld slenterden ze langs de rivier, ze konden geen ander tijdverdrijf verzinnen. Bettine was een lang, nerveus meisje met een brede, beweeglijke mond en veel te grote bruine ogen. Altijd had ze op hem neergekeken omdat ze wat ouder was. Onderweg klemde ze zich met beide handen vast aan haar parasol. Haar knokkels waren wit. In de loop van het gesprek stelde ze, zonder dat daar een aanleiding voor was, vast dat zij, in tegenstelling tot haar jongere neefje

Franz, nu als volwassene haar leven in eigen hand zou nemen. Met de dag had ze in zich voelen groeien hoe ze steeds sterker werd en zekerder van zichzelf en ervan overtuigd was dat zij als vrouw voor mannen niet onderdeed en dat ze haar ouders verachtte omdat ze wilden dat ze leerde borduren... Borduren! Zij, die enz. enz. enz.! Zij borduren? Uitdagend balde ze haar vuist tegen de wereld. Maar toen ze daarmee klaar was, keken haar grote ogen hem onderzoekend aan alsof ze verwachtte dat ook het neefje haar zou uitlachen. Hij keek naar het gras. Hij raakte altijd wat ontregeld door het gedrag van nicht Bettine, hij kon maar niet wennen aan haar heftige gebaren, haar grote passen, haar beweeglijke gezicht dat ze geen seconde rust gunde. En vooral niet aan haar lippen die zich nerveus om de woorden tuitten voor ze ze uitsprak. Bij het begin van hun wandeling had hij de oeverkant gekozen, omdat hij bang was dat ze bij een van haar onbeheerste uithalen haar evenwicht zou verliezen en in het water zou vallen. Als hij er alleen al aan dacht dat hij haar druipend op de kant zou moeten trekken en haar vernedering zou moeten aanzien brak het zweet hem al uit.

Tot haar ongenoegen had Bettine gemerkt dat hij haar voor een of ander onheil wilde behoeden. Niemand zou haar nog kunnen raken, zei ze boos, waarop hij vroeg waarom iemand dat zou willen.

Ze beet boos op haar lip, maar vermeed hem aan te kijken.

De mensen lieten haar koud, verklaarde ze hooghartig. Mededogen was zwakte. Wanneer ze nu iemand zag lijden, voelde ze niets meer. Dat was voorbij. Ze bleef staan en keek hem onverwacht kalm en beheerst aan, alsof ze hem haar nieuwe levenshouding in de praktijk wilde tonen. Hoe groter de deemoed om haar heen, des te groter haar hardheid. Zij was niet de gelijke van nederigen en bedelaars. Het klonk triomfantelijk, maar tegelijk trok ze haar schouders op alsof ze bescherming zocht.

Ze zou nu niemand meer liefhebben zoals de romans en de artikelen van het geloof je voorschreven, ze wist nu dat zij, anders dan hij, elke liefdespijn zou kunnen verdragen.

Hij had er naderhand over nagedacht. Alleen toen hij had gemerkt dat hij Augusta, het zusje van zijn vakantievriendje Sigi, niet meer zou zien, had hij een hol gevoel gehad, omdat hij had gedacht nog alle tijd met haar te hebben en zich nooit had afgevraagd of hij haar ook wel liefhad of haar alleen maar aardig vond. Hij wist nu dat hij haar had liefgehad.

Achttien was nicht Bettine pas geweest toen ze hem in vertrouwen nam, met donkere ogen op hem neerziend. Ze had een ouwelijke zomerhoed met kunstbloemen gedragen, die ze steeds op haar hoofd had moeten vastdrukken omdat het bij de rivier waaide.

Al die tijd had hij geweten dat ze kort daarvoor een wegloop-affaire had gehad met een handelaar in onroerend goed; het fijne wist hij er niet van, maar haar ouders hadden ingegrepen en haar voor enige tijd naar Pommeren gestuurd. Franz, die in

Stettin op het gymnasium ging, had er pas van gehoord toen hij met de zomervakantie thuis was gekomen. Vragen had hij haar niet gesteld, hij maakte zich wijs dat hij haar daarmee niet in verlegenheid wilde brengen. Hij was haar zoveel mogelijk uit de weg gegaan, omdat ze een geheim teken droeg, een smet waarvan hij had gehoord dat ze die haar leven niet kwijt zou raken, maar die hij – en dat was het onbehaaglijke – nergens herkende.

Tijdens hun wandeling had hij haar ten slotte bedeesd gevraagd wat ze dan met haar nieuwe, gevoelloze leven van plan was. Ze deed even alsof ze hem niet had gehoord. Toen vouwde ze haar parasol dicht en hief haar gezicht op naar de zon – ze had een geestig neusje dat met haar hardvochtige woorden vloekte – en zei met een ontspannen glimlach dat ze dat niet hoefde te weten. Ze had er vertrouwen in.

Of hij niet jaloers was. Hij wist natuurlijk allang wat hij zou gaan doen als hij volwassen werd, hij had daar natuurlijk al tot vervelens toe over lopen piekeren en was op iets saais uitgekomen, maar voor haar was de toekomst leeg. Alles kon ze doen, of niets. Leven of doodgaan, het was haar om het even.

'Ha, je bent een vrouw,' stelde hij vast, blij haar eindelijk eens te kunnen terechtwijzen. 'Hoe wil jij nu doodgaan, je mag niet eens in het leger.'

Ze rechtte haar rug. 'Ik heb geen leger nodig als ik zou willen sneuvelen.'

'Wie zegt dat jij zou moeten sneuvelen?' riep hij.

'Waarom zou ik niet?'

Hij schrok. 'Ik bedoelde eigenlijk: je gaat het leger alleen in om officier te worden of zo...'

'Nee, je gaat erin om niet terug te komen,' zei ze beslist. 'Om glorieus te sterven.'

'Doe niet zo idioot. Niemand van onze familie is in het leger gestorven en ze hebben er op papa na allemaal in gezeten.'

'Ik zou alleen in het leger willen voor roem en eer en een kort leven, als dat niet gaat wil ik er niet in, zoals jij.'

'Ik ga er helemaal niet in,' riep hij afwerend, 'papa heeft een remplaçant voor me gevonden. Iemand uit het dorp.'

'Die zal dus in jouw plaats sneuvelen,' stelde ze onverschillig vast

'Ik weet niet wat hij van plan is,' antwoordde hij onzeker. Hij had er nooit rekening mee gehouden dat zo'n jongen uit het dorp wel eens zou kunnen sneuvelen.

Droge mond. Het was alsof hij met gemerkte kaarten speelde. Dankzij zijn vader zou hij schoppenaas nooit hoeven opnemen.

De remplaçant was zijn alias, een vervalsing van hem die straks ergens op een slagveld zou rondlopen waar eigenlijk Franz von Karsch had moeten rondlopen; al wat hem overkwam, had eigenlijk Franz von Karsch moeten overkomen, als hij er niet voor zou zijn weggelopen. Misschien werd nu al ergens in Europa de kogel gegoten die straks op een slagveld zou worden afgeschoten, 's ochtends in de mist, waarschijnlijk zonder dat de vijandelijke schutter een idee had op wie hij schoot, want meer dan een schimmige gedaante daar in de nevel zag hij niet, maar hij was bang dat die ander eerder zou schieten dan hij. Daarom zou híj schieten. Hij zou zijn vijand recht in het hart treffen, niet wetend dat hij eigenlijk de verkeerde had geraakt, iemand die daar helemaal niet had moeten zijn, maar daar in plaats van een ander had gestaan.

Het liet Franz niet meer los. 's Nachts lag hij wakker en zag een gestalte oprijzen uit een loopgraaf en zijn geweer schouderen. De echo van het schot ijlde achter de loden kogel aan die de loop nu had verlaten en over de zompig natte vlakte vloog waar hier en daar nog vuile sneeuw lag. Franz zag hem langskomen, tollend om zijn as. Even later zakte die andere gestalte geruisloos door de knieën, de mist en het gras dempten zijn val.

De remplaçant moest hiervoor gewaarschuwd worden, hij moest vooral geen dienst nemen.

Nadat Franz te weten was gekomen wie zijn vader had uitgezocht, was hij naar hem op zoek gegaan. Hij vond hem op de akkerlanden. In de verte zag hij hem op het land werken. Franz liep niet meteen op hem af, maar sloeg hem van een afstand gade. Het was hem vreemd te moede, het was alsof hij naar zichzelf keek.

'Daar sta ik,' schoot het door hem heen. 'Ik ben groot en sterk en snijd daar het koren en bind het in schoven. Mijn rug doet pijn en mijn handen bloeden.' Even speelde hij met de gedachte om daar op het land te gaan werken als remplaçant van de remplaçant, maar verwierp het idee meteen weer, omdat zijn ouders het niet zouden toestaan, ze vonden het al niet zo'n goed idee dat hij natuurkunde wilde studeren.

Toen hij van het land kwam sprak Franz hem aan. Beleefd trok de jongeman de pet van het hoofd. Hij heette Jochen Boldt en had een groot, wit gezicht.

Om hem op zijn gemak te stellen vroeg Franz of hij pijn in zijn rug had van het werk en of zijn handen bloedden.

Jochen schudde het hoofd.

Met een verontschuldigende glimlach legde Franz uit waarvoor hij was gekomen. Onbewogen hoorde de remplaçant hem aan, maar toen het tot hem doordrong waarom het de ander te doen was, werden zijn ogen hard en afwerend. Franz merkte het, bloosde en verstrikte zich steeds meer in de draad van zijn betoog. Ineens kwam het hem niet meer zo logisch voor wat hij stond te beweren – al wist hij niet waar de fout zat – tot hij een visioen kreeg van de postbode die het dorp binnenreed met een brief voor de ouders van de jongen... Hij smeekte de remplaçant thuis te blijven, dan zou hem niets gebeuren.

Jochen schudde het hoofd en antwoordde met een strak gezicht dat hij deze kans vooruit te komen in de wereld niet voorbij zou laten gaan. Door voor de hooggeboren jongeheer dienst te nemen had hij van diens vader toestemming gekregen om de boerderij te verlaten. Dat had hij altijd gewild, vrij zijn, iets van de wereld zien. Nooit had hij pachter van een heer willen zijn. Hij klonk trots. Het leger was zijn kans. Sneuvelen? Als hij hier bleef was de dood even dichtbij als in de oorlog. De lucht was hier ongezond, je zag toch overal dat iedereen hier krom groeide van de jicht. Niemand werd hier oud. Van zijn zeven broers en zusjes waren er twee blijven leven, hij was de dood al ontsprongen, dat geluk had hij al opgebruikt, wat had hij in het leger dan nog te verliezen? Als het zijn tijd was zou hij gaan.

Franz had zich erbij neergelegd.

Twee jaar later had hij Jochen in uniform door het dorp zien paraderen, kort daarop was de jongeman met zijn onderdeel naar de koloniën vertrokken.

Wat nicht Bettine betrof: tot zijn verwondering was ze in haar pose van onaantastbaarheid blijven volharden. Jaren later had hij haar op een foto teruggezien. Eerst had hij haar niet herkend omdat ze gekleed was als een bedoeïen uit de Arabische woestijn, maar haar neus en haar mond hadden haar verraden.

Op de vraag wat ze daar deed had hij geen antwoord gekregen. Misschien was er ook wel geen antwoord op geweest.

Karsch zonk narrig weg in de dekstoel. De remplaçant had hem vreemd genoeg aan Totleben doen denken: groot hoofd, bleek gezicht, geheimzinnige vermissing. Hoe kwam hij er eigenlijk bij dat Totleben vermist werd? Hij lag toch gewoon in het ziekenhuis en wachtte op genezing? Daarna zou de rechterlijke macht zich pas met hem bemoeien. Door zijn valse paspoort had hij zich tot zijn eigen remplaçant gemaakt, als iemand die hij waarschijnlijk niet kende was hij naar Valparaiso gereisd.

Nu hij erover nadacht: het was eigenlijk helemaal niet zo moeilijk een ander te worden. Een andere indentiteit had voordelen, als een ander zou hij misschien niet meer die altijd beklemde Franz von Karsch zijn.

Schone dromen.

Het schip helde onder de aanwakkerende wind. Iets dat onder de stoel had gelegen, schoof tussen de voeten van Karsch over het dek naar de reling. Verwonderd keek hij het na. Het was het oranje boek waarin Totleben had zitten lezen. Toen Karsch het opraapte, dwarrelde er een opgevouwen vel papier uit dat over boord was gewaaid als er niet toevallig een matroos voorbij was gekomen die zijn voet erop had gezet en het aan Karsch had overhandigd.

Het boek bleek in het Grieks te zijn, wat gezien Totlebens beroep niet zo vreemd was. Lusteloos bladerde Karsch het door. *Η ΜΟΥΣΑ ΠΑΙΔΙΚΗ* stond er bovenaan een aantal bladzijden, waarop het boek telkens weer openviel. Hij wist niet goed wat het betekende – talen waren nooit zijn sterke kant geweest – en vouwde het losse vel papier open. Het was een brief, die iemand met een chaotisch handschrift – het leek alsof hij zijn hand tot de woorden had moeten dwingen – enkele maanden geleden aan Totleben had gestuurd.

3

De briefschrijver viel met de deur in huis. 'Weet je nog, een paar weken geleden heb je me verteld van die telkens terugkerende droom dat je ergens in een bos bent. Er zijn geen gebaande paden, alles is er wild en onaangeraakt door mensen, maar toch ook weer niet, want de planten die er bloeien zijn niet wild, ze groeien ook bij ons in de voorsteden. In dit bos dat tegelijk ook een tuin is sta je voor een steile, kale rots. Daar boven je, op de top, staat een naakte knaap. Je kunt hem goed zien – het is immers een droom – en je ziet ook dat zijn gezicht ernstig staat. Je weet ook zeker dat de knaap vastbesloten is zich van de rots af te werpen. Nu merk je ook dat er daarboven meer zijn als hij en allen zijn even ernstig en schoon en vastbesloten. Ernstig zullen ze de dood zoeken ergens aan de voet van de rots, die je droom je kennelijk niet heeft laten zien, want je hebt er niet over gesproken. Toen je me ervan vertelde beefde je, Ernst, je ogen waren groot van opwinding. Toen wist ik al niet of ik wel moest geloven dat het alleen maar een droom was. Dit leek iets anders, iets groters, wat niet betekent dat het iets beters is. Ik kan me herinneren dat ik het met je deelde: een knaap die daar zo staat zoals jij hebt beschreven, zo vervuld van de dood, ís een adembenemend schouwspel. Ik heb er dagen aan lopen denken. Hoe hij daar alleen voor de schepping nee zegt. Niet omdat hem het leven te klein is en hem pijn doet, maar omdat hij zijn ziel wil verzilveren, zoals jij het hebt uitgedrukt. Tot zover heb ik je nog wel willen volgen, maar toen ik ziek werd, ben ik bij wijze van spreken onvrijwillig op de rots van jouw droom terechtgekomen. Alleen heb ik niet gesprongen, ik was willoos, ik heb eigenlijk gewacht tot ik er vanaf geduwd zou worden. Jij zat toen aan mijn bed en wachtte tot ik zou gaan. Ik schrijf je dit omdat dit voor mij de reden is te denken dat je schuldig bent aan de dood van je-weet-wel. We weten beiden dat hij zichzelf niet langer kon verdragen, maar pas *nadat* jij hem had ingewijd. Ik weet heel goed hoe je het voor elkaar hebt gekregen, ik ken je, mij is het ook overkomen. Ik weet dus waarom hij die avond geheel ontredderd bij mij aankwam. Nadat je hem aan je hebt onderworpen, heb je hem, doortrapt als je kunt zijn, uitgelegd dat hij op niets moest hopen, vooral niet op liefde, omdat de ware Eros alleen in de dood te vinden is. De opofferingsdood voor een ander, welteverstaan. (De huichelaar spreekt verheven!) Het lichaam (zijn lichaam!) is slechts het middel om hem op te wekken (in jou!). Daarbij brandt de een sneller op dan de ander. Maar de zwakke die eraan ten onder gaat (hij!) vloeit over in de geliefde (raad eens wie!), dát is de onsterfelijkheid die voor hem was weggelegd. (Hij geloofde dat!) De ene mens is de ander een god en goden en mensen zijn niet elkaars gelijke. Enz., enz. Genoeg om die jongen van zijn verstand te beroven. Jij weet dat ik weet dat jij die dag dat hij is gesprongen bij hem bent geweest. En ik weet zeker dat jij geen vinger hebt uitgestoken om hem tegen te houden, maar gefascineerd hebt toegekeken. Ik weet niet wat je nu gaat doen. De *Anzeiger* heeft gisteren over zijn dood geschreven en daarbij zal het wel niet blijven. B. S. heeft alles aan zijn vader opgebiecht en jij weet hoe die over het 'sodomitisch complot' denkt. Ik zal eerlijk zijn wanneer de politie iets van mij wil weten, ik zal niets verzwijgen. Ik zal je niet zwarter maken dan je bent, want al ben je een zwijn, ik heb nog wel een zwak voor je, maar je bent me geen leugen meer waard.'

De brief was ondertekend met een initiaal: 'HHJ'. In de kantlijn was met potlood in klein, precieus handschrift van commentaar voorzien. Soms cynisch: Dood gaan we allemaal . En: Wat was meneer jaloers! Of: Ik heb voor jou geen moeite hoeven doen. Of: Inwijden? Meneer kende alle handgrepen al. Soms kwaad: Jij weet niets! Of verdedigend: Kon ik het helpen dat dat loeder neurasthenisch was?

4

Er viel een schaduw over de brief. Betrapt keek Karsch op. Asta Maris keek op hem neer. Met een vuurrood hoofd duwde hij het papier tussen de bladzijden van het boek.

'Van Ernst?' vroeg ze.

Haastig sprong hij op.

'Ja. Het lag hier...' Hij maakte zijn zin niet af.

'Dan weet je het nu ook,' zei ze.

'Wat? O, dat.'

'Ja, dat.' Ze keek hem verwonderd aan. 'Bedoel jij dan iets anders?'

'Nee, ik bedoel die brief. Weet jij dan wat erin staat?'

Ze aarzelde. 'Niet precies, maar ik denk dat ik het wel kan raden.'

Heen en weer drentelend stond Moser hen van een afstand gade te slaan. Hij verbeet zich. Graag was hij er bij komen staan om te horen wat er werd gezegd, maar hij begreep dat zijn gezelschap gemist kon worden.

Karsch zweeg verlegen en Asta Maris moedigde hem ook niet aan iets te zeggen.

Ze waren niet alleen. Hij voelde Totlebens aanwezigheid. Hij was terug, hij was voor zijn boek en zijn brief gekomen. Als hij zijn ogen sloot, hoorde Karsch hem ademen, zag hij zijn dromende ogen oplichten in de schrale zon, zijn leeuwenhaar zich heroïsch om zijn gelaat krullen. Daar, hij naderde over zee nu, gevolgd door een stoet van dode knapen...

De wind jammerde zachtjes in de touwen.

Huiverend trok Asta Maris de bontkraag van haar jas dicht tegen haar kin. Karsch keek naar het oranje boek. Even was er een patstelling, tot hun blikken weer naar elkaar kropen en hun glimlach zijn schuwheid verloor en ze met een licht schouderophalen hun gedrag probeerden te verontschuldigen. Werktuiglijk legde hij zijn hand onder haar elleboog alsof hij haar naar een Pommerse dansvloer moest leiden. Gewillig liet ze zich meevoeren. Op de trap naar het kampanjedek liet hij haar voorgaan, zodra ze boven waren plaatste hij zijn hand terug. Ze draaide haar gezicht naar hem toe, de situatie beviel haar.

Pas toen ze bij de achtersteven waren liet hij haar arm los. Ze glimlachten naar elkaar, hij keek naar zijn schoenpunten en vandaar naar de zee, zijn ogen tot spleetjes knijpend alsof hij de einder afzocht naar onraad.

De volgende dag was het ruw weer en regende het, maar daarna klaarde het op en hervatten ze hun wandelingen over het dek. De blikken die ze uitwisselden waren korte briefjes, steeds met dezelfde eenvoudige boodschap: *'Heb jij het ook?'* – *'Ja, ik heb het ook!'* Alleen achtten ze de tijd nog niet rijp om ze ook hardop voor te lezen. Van tijd tot tijd raakten ze elkaar terloops even aan, ze wilden zich ervan vergewissen of de vorderingen die ze hadden gemaakt nog stand hielden.

Karsch neuriede nu tijdens het scheren.

De dagen van voorzichtig aftasten gingen voorbij, die van een heerlijke zekerheid dat ze zich niet in elkaar konden vergissen zouden weldra aanbreken, toen Asta Maris zich op een dag plotseling naar hem omdraaide en wilde weten waarom hij haar nog steeds niets had gevraagd.

Niet zo lang geleden zou hij zich geschrokken achter een muur van welgemanierdheid hebben teruggetrokken en omzichtig hebben getracht uit te vinden wat er van hem werd verwacht. Nu zei hij: 'Vertel maar welke vraag ik je moet stellen.'

Het ging over Totleben. Ze wilde hem vertellen wat er in Rio de Janeiro was gebeurd.

'Toen hij van de hutjongen had gehoord dat ik een rijtuig had besteld,' zei ze, 'heeft hij bij mij geïnformeerd of hij mocht meerijden, de stad in.

Eigenlijk wilde hij nergens in het bijzonder naartoe, maar ik had al wel...' Ze verbeterde zich: 'Nee, ik wil je eerst zeggen dat ik vaker in Rio de Janeiro ben geweest. Al een paar keer zelfs. Toen ik nog optrad.' Ze lachte verontschuldigend. Karsch lachte mee en probeerde zich tevergeefs voor te stellen hoe ze de donderende bijval van volle concertzalen in ontvangst nam, met grote danspassen om de vleugel zweefde, in de coulissen verdween, weer terugdanste voor haar toegiften. Misschien was ze toch actrice.

'Ik kende iemand in Rio de Janeiro, die ik wilde bezoeken,' ging ze verder.

'De Chinees.'

'De Chinees. Dat heb je zeker in het ziekenhuis van Ernst gehoord. Ik heb Ong, zo heet hij, ooit in Indië leren kennen, daar heb je veel mensen zoals hij.' Het klonk uitdagend. 'Enfin, ik kon het verzoek van Totleben moeilijk weigeren. Hij is nooit opdringerig geweest, wel altijd heel openhartig over zichzelf; ik weet ook niet precies waarom.'

'Volgens Moser zijn jullie geestverwanten.' Hij beet op zijn lip. Had dit jaloers geklonken?

Ze deed alsof ze het niet had gehoord. 'Totleben dacht dat hij mij van alles kon toevertrouwen. Ik ben in zijn ogen geen respectabele vrouw, geloof ik. Nee, word niet boos. Hij bedoelde het niet eens kwaad, want hij had juist een hekel aan alles wat respectabel was. Omdat het hem uit Duitsland had gejaagd, snap je? Je hebt de brief van zijn vriend gelezen, je weet het dus. Mij heeft hij uitgelegd dat hij in verband werd gebracht met de zelfmoord van een jongeman, die van het universiteitsgebouw was gesprongen. Volgens boze tongen geduwd. Totleben had verklaard dat hij hem niet had kunnen tegenhouden, maar er was niemand die hem had geloofd. Ik geloof hem eerlijk gezegd ook niet. Waarom?' Ze dacht na. 'Omdat hij het vertelde alsof het hem niet aanging. Toen ik zei dat het toch vreselijk was dat zo'n jonge jongen zo aan zijn eind moest komen, haalde hij zijn schouders op. Het kind – ja, zo noemde hij de arme jongen – leed volgens hem aan hysterie. O, hij had al gemerkt dat de hele geschiedenis bij mij niet in goede aarde was gevallen. Het was alsof hij iets goed wilde maken, want hij praatte daarna alleen nog maar over de jongen zoals een minnaar over zijn geliefde praat.'

'Weet jij dan hoe dat gaat?' vroeg hij wat gemelijk.

Karsch wist het. 'Elke minnaar is bang voor de ontrouw van de geliefde,' doceerde hij, 'omdat er geen reden is waarom zij trouw aan hém zou moeten zijn. Hun verhouding bestaat immers dankzij haar ontrouw. Zij bedriegt haar man toch met hem?'

'Jij weet dus ook hoe dat gaat.'

Felle steek, holle maag. Terwijl hij naar de bewegende lippen van Asta Maris keek, die verder ging Totlebens wereld te verklaren, werden er herinneringen gewekt die beter niet hadden kunnen worden verstoord, want Karsch liep weer als jongen van zestien nerveus door het Pommerse huis, met kloppend hart aan deuren luisterend, waar mogelijk gangen afsluitend, deuren vergrendelend. Zojuist was de eerste luitenant Ambrosius gearriveerd, de laarzen gepoetst, de punten van de blonde snor triomfantelijk opgedraaid. Hij had een lichtbruine, helaas wat wankele stem waarmee hij langdradige balladen zong, die Franz' moeder tijdens zondagse bijeenkomsten in de salon op de piano begeleidde. Maar de luitenant was niet gekomen om te zingen, hij was via de oranjerie en de binnentrap direct naar de kamer van gravin Mathilde von Karsch gegaan. Ze nam meestal niet eens de moeite de deur te sluiten, zodat hun stemmen in alle staten door de gangen en het trappenhuis galmden. Luitenant Ambrosius was nog jong en te hoogmoedig om te begrijpen dat hij niet haar, maar zij hem had uitverkoren. Terwijl zijn moeder hem grommend ophitste, het doorgelegen bed kreunde, vluchtte Franz de gang uit en luisterde in het trappenhuis of hij ook ergens voetstappen naderbij hoorde komen. Tegen de kamenier zei hij dat mevrouw naar de stad was, tegen de schoonmaakster dat alles de dag tevoren al gedaan was, tegen de hovenier dat de planten op haar balkon al water hadden gehad – die ene keer toen zijn vader zich aandiende, maakte hij een hoop kabaal en troonde hij hem mee naar buiten waar hij hem een vlinder wilde laten zien, het hoofd nog gonzend van de geluiden uit zijn moeders kamer. Tot elke prijs wilde hij voorkomen dat het uitkwam dat ze ontving. Zijn leven zou veranderen, het huis zou in kampen worden verdeeld en hij zou ergens op de lege plek in het midden overblijven. Zijn grootste angst was dat grootmoeder er lucht van zou krijgen en haar banvloeken door het huis zou slingeren, die tot in alle hoeken en gaten doordrongen en als een beklemmende dampkring bleven hangen. Als hij op patrouille de gangen controleerde, leed hij onder de stilte van het huis en onder de maar half gesmoorde geluiden uit zijn moeders kamer die tot in elke hoek te horen moesten zijn. Tevergeefs trachtte hij zijn schaamte over de affaires van zijn moeder te vergeten, en zijn zwijgende medeplichtigheid eraan, maar het was hem nooit gelukt.

Maandenlang leefde luitenant Ambrosius in de veronderstelling een belangrijke verovering te hebben gemaakt, totdat meneer Kowalski, een Pool met gloeiende ogen en afgekloven nagels, naast mevrouw de gravin op het bankje voor de vleugel plaatsnam om haar de finesses van het pianospel uit te leggen. Al gauw kwam ook hij via de oranjerie binnen. Het duurde even voor de luitenant begreep dat hij niet langer de enige was die de weg kende. Franz hoorde niet meer altijd de vertrouwde geluiden, maar nu wel een overslaande stem die op een middag zijn moeder vruchteloze verwijten naar het hoofd slingerde, smeekte, dreigde en uiteindelijk tot de slotsom kwam dat hij niet zonder haar kon, waarop ze hem ijzig de deur wees. Hij nam de verkeerde en liep op de gang Franz ondersteboven, die daar bekommerd de wacht had betrokken. Terwijl luitenant Ambrosius hem de huid volschold, zag Franz dat zijn ogen rood gezwollen waren en zijn lippen trilden. Hij kwam niet meer zingen.

'Je luistert niet,' hoorde hij Asta Maris zeggen.

'Zei je niet: "een minnaar kan niet over ontrouw klagen"?'

Ze legde haar hand op zijn arm. 'Nee. We hadden het over Totleben en zijn ongeluk.'

'Sinds ik op zee ben lucht mijn geheugen zijn kamers. Het is een plaag. Mijn gedachten vliegen alle kanten uit. Wat was er dan nog met Totleben?'

'Het viel me op dat hij tijdens de rit almaar zoekend om zich heen keek. Er was ook iets in hem dat ik nog niet eerder had gezien. Al die superieure beschaving van hem was ineens van hem afgevallen, hij was op jacht. Ik wist al dat ík niet bang voor hem hoefde te zijn, maar ik voelde me toch niet erg op mijn gemak. Toen ik bij Ong was, vroeg ik wat hij ging doen. Hij wist het niet. Ong had al begrepen wie hij voor zich had, hij had die wolvenblik herkend. Hij vroeg Totleben of hij misschien gezelschap zocht. Voor gezelschap kon hij in de steeg achter zijn warenhuis terecht. Dames zat.'

Ze keek steels naar Karsch, die beleefd knikte. Hij nam zich voor te zwijgen over zijn uitstapje met Moser naar het huis met de lelies.

'Totleben gaf te kennen dat hij geen dames hoefde, waarop Ong hem zei dat ze daar wel iets op zijn wensen wisten. Later op de middag stuurde hij er nog een jongen naartoe om te informeren of Totleben alles naar zijn zin had, maar hij bleek daar niet te zijn. Hij was met iemand meegegaan.'

'Waarheen?' vroeg Karsch.

Ze haalde haar schouders op. 'Er zijn daar zoveel plekken waar je heen kunt gaan.'

De Aalander verscheen aan dek, keek naar de stormvogels en luidde de bel voor het middageten, waarmee andere vragen over Totleben van de baan waren. Terwijl Karsch Asta Maris voor zich uit naar de eetzaal zag lopen, vroeg hij zich af of die Chinees wel zo'n brave kennis was als ze had doen voorkomen.

5

Ten oosten van Argentinië mistte het.

Omdat Asta Maris in haar hut was gebleven, schoot Moser hem aan. 'En?' vroeg de salpeterhandelaar.

'Wat en?'

'Totleben?'

'Ze weet het ook niet precies.' Het was de waarheid.

Moser knikte bedachtzaam. 'Jullie houden het voor je, hè? Dat is niet zoals het hoort, dat horen nette mensen niet te doen. U in elk geval niet. Hoe ik madame Maris moet beoordelen weet ik niet, ze praat nauwelijks tegen mij, terwijl ik toch altijd open en eerlijk ben. Als enige van iedereen hier.'

'Ach.'

'Ja. Ik heb voor niemand geheimen. Jullie mogen best weten dat mijn vrouw me bedriegt als ik op reis ben. Ik weet dat het zo is, waarom zou ik dat verzwijgen?'

'Omdat er mensen zijn die het niet willen weten.'

Mosers gezicht kreeg een sluwe uitdrukking. 'Dat zeggen ze omdat ze zelf iets te verbergen hebben. Neem nou uzelf, Karsch. Ik zie u nooit meer met die geleerde apparaten van u. U zit daar maar in die dekstoel te piekeren. U verbergt iets, dat ziet zelfs de eerste de beste matroos. Ik voor mij, ik verberg niets.'

Karsch knikte. Als hij Moser zou vertellen waarover hij dacht, zou die hem niet geloven. Dat waren toch allemaal kleinigheden? Dat een mens zich daarover druk maakt. Je heb geen vrouw die je bedriegt, je bent niet arm, je hebt geen sukkel van een zoon die musicus wil worden in plaats van iets van deze tijd, iets met vooruitzichten. Moser zou Karsch kunnen vragen wat zijn leven dan eigenlijk inhield. Die bemoeienis met de zee, waar hij niks meer aan deed? Asta Maris? Die zogenaamd bevriend was met een Chinees in Rio de Janeiro? Nee, dan Totleben, je kon zeggen wat je wilde, die had een verhaal van zijn leven gemaakt. Toegegeven, een smoezelig verhaal, maar toch. Hij, Karsch, had zich eigenlijk alleen maar verveeld.

Hij draaide zich om naar Moser.

'Weet u,' zei hij rustig, 'ik zal open zijn: ik verveel me.'

Moser keek hem van onder zijn dikke wenkbrauwen achterdochtig aan. 'Met permissie, u vaart op een schip over de oceaan, zet de bloemetjes buiten in Rio de Janeiro, u bent nota bene graaf en u verveelt u?'

'U begrijpt het niet.' Karsch had al weer spijt van zijn openheid. 'Ik bedoelde verveling van een andere orde. Wie bezig is, zoals ik, kan zich tóch vervelen.'

'Ja, natuurlijk,' smaalde Moser, 'het zal ook eens gewoon zijn. Maar ik zeg u, ik voel me als een vis in het water. Of vervelen vissen zich ook?'

Karsch liet het onderwerp rusten. Voor Moser was de wereld eenvoudig: geld verdienen en zien dat je hogerop kwam. Als dat niet lukte, kon je altijd je wonden likken met de anderen, de miljoenen die het ook niet was gelukt. Wie weet bracht een oorlog uitkomst.

Karsch hoefde niet te slagen, hij was al geslaagd. Hij was een goede leerling op school geweest, in natuurkunde zelfs een uitblinker en verzamelaar van eervolle vermeldingen. Zijn prestaties lieten zijn ouders koud, het maakte immers niet uit wat je op school uitvoerde, zolang je maar deed wat er van je verlangd werd. Als een Karsch leerde je niet om in het leven iets te bereiken, door je geboorte was je dat al. Een toekomst was iets voor mensen die nog nergens waren. Wanneer je volwassen werd en je verveelde je, waren daar de vlinders en de pianoleraren. Werkelijk, als je niet oplette vloog de tijd voorbij. Zo was het ook. Hij leefde in een gelukkig land. De blaaskapellen blonken van de koperpoets, de zeppelins verduisterden de hemel, Caruso zong, er voeren witte raderboten rond waarop kinderen grenadine kregen, iedereen die wilde had een uniform met blikken knopen, het weer was goed en het vlees ook. Alleen de zee zweeg en Karsch verveelde zich.

Misschien was hij uitzonderlijk vatbaar voor verveling, zoals sommige mensen altijd verkouden zijn. Je kon het ook een talent noemen. De verveling was steeds het moment waarop hij geheel op zichzelf was teruggeworpen. Geen prikkel is dan sterk genoeg om de aandacht bezig te houden, je bent alleen met *jezelf*, dat zich ineens als *ding* openbaart waarin je bent opgesloten en dat zich tot verstikkens toe aan je opdringt. Dankzij de verveling begrijp je pas dat je een gevangene bent, opgesloten in een ton die je naam draagt. Door twee gaten, die de schepper in de duigen had geboord, tuurde je naar de wereld, die de glinsteringen van je ogen niet opmerkte. Als je je terugtrok in het duister viel daar het enige licht door naar binnen. Je kon volgen hoe het zijn baantjes trok langs de wand van duigen en je telde het aantal uren van de dag aan de hand van de naden.

Het leven.

In werkelijkheid stond hij aan het dek van de Posen en zag een paar evenzeer verveelde meeuwen uit de mist opdoemen en de zee voorbij glijden. Terwijl Moser zich afvroeg wat ze zouden eten, vroeg Karsch zich af of hij misschien toch maar met Agnes Saënz zou trouwen. Omgeven door stilte zichzelf door de tijd brengen, alleen met zichzelf in de ton. Nooit zou hij het deksel wegduwen en naakt als Diogenes honend naar de wereld kijken, keizer Willi met zijn *Es ist erreicht*-snor en zilveren *Pickelhaube* verzoeken uit de zon te gaan, op klaarlichte dag met een lampje door de Tiergarten lopen, zoekend halt houden bij het apenhuis, nergens zijn wijze vinden, zich openlijk bevredigen op de

Kurfürstendamm... *Het leven is mooi, Franz! Ja ja, maar waar is het?*

Totleben, Moser en hijzelf waren in Rio van boord gegaan en hadden alledrie zonder afspraak hun beschaafde omgangsvormen afgelegd. Moser openlijk, Totleben half bedekt, maar hij, Karsch, in het geheim. Hij had niets getoond tot hij aan Mosers voeten op dek was gevallen. Het was hem na enkele dagen al gelukt de prostituée zo succesvol te vergeten dat hij zich haar gezicht al niet meer voor de geest kon halen. Zijn fatsoen ruimde dat soort vuiltjes onmiddellijk op. Niettemin hadden ze alledrie hetzelfde gedacht en gedaan. Moser had een gloeiend toekomstvisioen waarin hij en zijn gelijken het voor het zeggen zouden hebben, Totleben zocht de dood en daardoor des te meer het leven, Karsch zocht niets. Halfhartig verlangen naar wetenschappelijk inzicht had hem tot hier gebracht, ergens in deze mist ter hoogte van Patagonië en Vuurland. Landen uit kinderboeken waar beesten met zes poten huisden, tweekoppige troglodieten over eindeloze vlakten renden, de mensen eieren legden en het koud hadden. Landen van een seniele gravure uit een van zijn vaders oude boeken. Hier was hij op breedten gekomen waar waarheden niet meer telden, alleen sprookjes, Patagonische vermoedens, de kinderwereld van voor de schepping en de zee, ja die, die was nog zichzelf – of misschien ook niet, dat wist hij niet, dat had hij verzuimd uit te vinden omdat hij achter Asta Maris aan liep en overstuur raakte omdat ze een Chinees in Rio de Janeiro had bezocht. Straks zou Vuurland met Bengaals vuur de kim groen kleuren.

Totleben was dankzij een geluk bij een ongeluk in Rio gebleven. Of hij verder zou reizen naar het *Deutsches Gymnasium* in Santiago de Chile met nieuwe dromen en gevaarlijke vriendschappen? Of zouden ze daar ook de *Anzeiger* lezen met het bericht dat Totleben – die misschien wel helemaal niet zo heette – in Duitsland werd gezocht in verband met een onopgehelderde dood. Maar hij had het leven nog, zij het dat het een onopgehelderd leven was.

Karsch sloot zijn ogen en beeldde zich in hoe Totleben op de trap van het ziekenhuis van Rio de Janeiro stond, diep ademhaalde en doelbewust om zich heen blikte. De stervende Galliër was eindelijk gestorven, hier stond een nieuw mens, het hoge witte voorhoofd blonk in de zon, de blik uitgedroomd. Een onbekende kracht leek zijn lichaam te doorgloeien. Dit was niet iemand die de jonge zelfmoordenaar had tegengehouden; hij was erbij geweest en had hem misschien wel eerst iets vreselijks aangedaan voor hij hem lachend over de rand had geduwd, maar hier in Rio de Janeiro wist niemand dat, behalve hij. Een glimlach krulde zijn lippen, waarbij de linkerkant zelfverzekerd optrok. Hij brak een lelie af en stak hem in zijn knoopsgat.

De trein bracht hem aan de rivier, daar ging hij aan boord van een wit schip met overdekte dekken, dat hem verder het binnenland in bracht. Totleben slenterde rond over de dekken, een man zonder paspoort, maar heer van zijn leven, omgeven door vrouwen in mousselinen japons en mannen in vermoeide witte pakken. Zijn blik gleed langs hen heen op zoek naar die ene steelse blik die hem genoeg zei.

Ze voeren tussen eindeloze muren van groen, maar de muziek speelde in de salon, de punch werd rondgedragen in bedauwde koperen koelers tot het schip de stad Manaus bereikte, stralend opdoemend uit het oerwoud, waarover de nacht al gevallen was. Het water van de rivier kwam tot leven, schijnselde in de havenlichten, vanwaar straten als lichtende lijnen naar het middelpunt leidden, naar de opera, waar op grote borden de *Othello* werd aangekondigd.

Maar de geest van Karsch liet hem daar niet blijven. Totleben, de schuldige moest verder. In het felle zonlicht stond hij roerloos op de plecht van een kleine motorboot die hem westwaarts bracht weg van de mensen. Onverschillig keek de hemel op hem neer, hoog begroeide oevers sloten hem in, de zon schoot nu alleen nog vonken tussen de bladeren. Hij was nog mens, Totleben, maar zijn geschiedenis viel als oude huid van hem af, weldra zou hij hier dier met de dieren zijn, plant met de planten – *ego flos* – steen met de stenen. Traag als zonnedauw verteerde het woud alles, alles wat er leefde loste erin op. Vrij van schuld of zonde.

'Droomt u?'

Karsch sloeg zijn ogen op. Moser stond over hem heen gebogen.

'Nee, nee,' antwoordde Karsch schor. 'Ik dacht na. Dat is soms ook dromen.'

6

Niet langer wilde Karsch begrijpen, niet langer tot inzicht geraken, geen nobel innerlijk leven koesteren, knikkebollend wijsheid over de ondoorgrondelijkheid van de zee om zich heen verspreiden. Goetz Wyrow, nicht Bettine, Jochen de remplaçant, Totleben, allen hadden ze iets gewaagd. Het had zijn elektrische tintelingen langs hun ruggemerg geleid, de wereld groot en licht gemaakt. Zelfs Asta Maris was een van hen. Omdat ze alleen met haar koffer over de aarde reisde en Chinezen kende...

7

Mist, alle dagen mist en kille wind.

Asta Maris stond aan de reling en had vijftig meter zicht. Haar blonde haar kringelde slordig onder een oude bontmuts uit. Ze lachte toen ze hem zag en greep behaagziek zijn arm. Een beetje spottend vroeg ze of ze samen uit wandelen gingen. Voor Karsch had kunnen antwoorden, had ze hem meegetrokken in de richting van het bakdek, dat in de nevel nauwelijks zichtbaar was.

Ze was vrolijk voor haar doen, haar danspassen dansten meer dan ooit, ze lachte veel en uitgelaten en greep zich daarbij telkens weer vast aan de arm van Karsch die toegeeflijk met haar meelachte. Ze wilde van alles over hem weten.

Verlegen, terwijl hij stotterend naar woorden

zocht, probeerde Karsch uit te leggen wie hij was en wie zijn ouders waren, vragen die hij, prudent als hij was, tot dan toe zoveel mogelijk had afgewimpeld.

'Je moeder was een keuze van oma,' had zijn vader altijd gniffelend gezegd, 'zelf was ik er niet opgekomen.' Oma, een nietige vrouw, immer rouwend weggedoken in drie stemmige foulards en zeven zwarte rokken, het haar weggestoken onder een muts van kant. Ze had tot haar dood bij hen in het grote huis gewoond, waar tot haar tevredenheid zijn moeder over de pachters ging en zijn vader over de vlinders. De laatste was na een leven vol binnenpretjes met de glimlach op de lippen gestorven, dezelfde glimlach die Karsch' moeder steeds tot woede had gebracht, omdat hij een teken was geweest dat hij haar haar zin *niet* zou geven, hoe ze hem ook probeerde te vermurwen.

Karsch zei tegen Asta Maris dat zijn ouders zoals alle andere ouders geweest waren. Als jongen let je daar niet zo op, je moet het toch met dat ene stel doen.

Om nieuwe vragen te ontwijken ging hij ze stellen.

Ze lachte toegeeflijk, maar haar antwoorden liepen met grote danspassen om de neteligheden heen. Er was sprake van een vlak land met een groot huis. Op haar zestiende was ze met ouders en een broer naar Batavia verhuisd. Het leven was er licht geweest. Ze had er witte jurken gedragen en op de veranda gezeten. Ze dronken altijd thee, Asta en haar moeder, en gingen dan uit rijden over de lanen en keken naar de andere rijtuigjes die hen tegemoet kwamen, om te zien wie erin zat en met wie. Ze leerde er muziek spelen en schitterde op voordrachtavonden. Tegelijk waren haar herinneringen ook onduidelijk – of beter ondoorzichtig. Ze leken zich af te spelen achter een gazen gordijn, alsof ze destijds niet de moeite had genomen ze goed waar te nemen. Of hij wist wat het wajangspel was. Het waren schaduwen op een scherm, maar als je de poppen bij daglicht zag, waren ze gekleurd en zorgvuldig beschilderd. Dat was haar herinnering aan vroeger, een schaduwspel, alleen de geluiden en de geuren ervan – vooral die van de nacht – hadden voor haar niets van hun scherpte verloren. O, hij vergiste zich als hij dacht dat ze een hoofd vol lege plekken had, ze had zoveel zoete dromen.

Hier stopte ze. Ze drukte zich aanhalig tegen hem aan. Nu hij wist hoe ze als meisje was geweest, wilde ze op haar beurt weten wat voor jeugd hij had gehad. Het hoorde bij de laatste fase van hun toenadering, hoopte Karsch, maar zeker was hij er niet van; het speet hem dat hij zich nooit beter geoefend had in de omgang met vrouwen. Duizelig van haar aanwezigheid probeerde hij zijn bevangenheid van zich af te zetten, ontspannen te zijn, een *Kavalier* van de oude stempel; ondertussen sprongen de apen van zijn geilheid hem opgewonden door het hoofd – onder zijn middenrif gaapte een leegte.

Zijn stem klonk strak. Afgemetener dan hij had gewild vertelde hij dat niemand hem thuis had lastiggevallen, wat de waarheid was. In Stettin, waar hij op het gymnasium was gegaan, was dat anders. De school was oud en verveloos geweest en de leraren onverschillig. De eerste schooljaren had hij vaak gevochten. Het was er traditie dat de lage klassen de oudere jongens horig waren, desnoods voor hen uit stelen gingen. Omdat hij van buiten kwam, kende Karsch aanvankelijk niemand van zijn klasgenoten waardoor hij een makkelijke prooi was. Hij vertelde niet aan Asta Maris dat een jongen genaamd Lund – de ouderen werden bij hun achternaam genoemd – het op grond van een natuurlijke antipathie op hem had voorzien en hem enkele keren in het bijzijn van anderen had bespogen en bedreigd en daarna tegen de grond geslagen. Karsch had zich verweerd, wat van een eersteklasser niet werd verwacht. Niet dat zijn moed veel had uitgehaald, maar door zijn optreden werd hij wel toegelaten tot een al bestaande coalitie van lagereklassers, die zich rond de tengere Alberich Weidenlander had verzameld, een jongen met een mes, dat hij in zijn kous bewaarde. Lund wist ervan.

Lund was mooi en sterk en ze zeiden dat hij met meisjes omging, maar niemand had dat ooit gezien. Zijn meelopers keken naar hem op, misschien wel uit angst geslagen te worden, Lunds vechtlust was niet eenkennig. Karsch leerde hoe je je het best kon verweren. Hij leerde schoppen waar hij kon en slaan met een steen in de hand. Hij leerde ook dat het beter was als je je vijand met twee tegelijk aanviel, een van achteren en een van voren.

Terwijl hij Asta Maris iets anders, onschuldigers over zijn Stettinse tijd vertelde, zag Karsch zich door een buitenwijk rennen, achternagezeten door Lund en drie hatelijke jongens uit Silberwiese met ontstoken oogleden. Hij werd gegrepen en tegen de straatstenen gedrukt. Een van de Silberwiesenaars schopte hem paardestront in het gezicht. Lund had zijn voet in zijn nek gezet, een ander doorzocht zijn zakken. Nog steeds voelde Karsch de walging van toen door zijn lichaam slaan. Terwijl een gore hand hem onder gelach tussen de benen betastte en kneep, vroeg hij zich af waarom er niemand was die hem hielp. Waarom die man aan de overzijde haastig doorliep en daarginds de luiken gesloten werden. Het was de eerste keer in zijn leven dat hij ervan walgde dat hij leefde. Dat zijn lichaam dit toeliet, dat hij het niet kon vragen hem te beschermen. Nachten lag hij ervan wakker, op zoek naar een uitweg om te ontsnappen aan zichzelf en de nederlaag die hem aankleefde.

Twee weken later waren er nevels uit zee gekomen en tot Stettin doorgedrongen, waar ze van zwavel verzadigd waren blijven hangen. 's Avonds volgde Franz als een schaduw de gangen van Lund. In een stille straat sloeg hij hem met een knuppel van achteren neer. Toen hij hem zag vallen, gaf het geen verlichting. In plaats daarvan voelde hij dezelfde afkeer als destijds, toen *híj* op straat had gelegen. Hij had Lund in zijn hals geraakt. In plaats van weerstand had de knuppel bijna meisjesachtige meegevendheid ontmoet. Zacht vlees. Lund had zich omgedraaid, de ogen vol angstig ongeloof, maar was op hetzelfde moment door zijn knieën gezakt en op de grond gegleden, waarbij hij met zijn hoofd hard tegen de muur stootte. Versuft had hij naar Franz opgekeken, wachtend op de volgende klap. In het licht van de straatlantaarn had Franz gezien hoe zijn gezicht wasbleek werd; er liep wat bloed in zijn hals. Zijn slordig ineengezegen lichaam had zo al de houding van een dode aangenomen. Lund hief het hoofd op. Er was iets smekends in zijn blik, omdat hij straks nog weerlozer zou zijn als hij krimpend van de pijn zou wegkruipen. Franz hief zijn knuppel. Om de slag af te weren hield Lund een hand voor zijn gezicht, hij opende zijn mond, maar de schreeuw bleef uit. Franz werd bang. Straks zou hij nog eens slaan en dan nog eens tot het bloed uit Lunds mond en neus zou vloeien en niemand zou hem tegenhouden, niemand zou later weten dat hij het was geweest die hier had gestaan met een knuppel in de hand, dat hij Lund had doodgeslagen.

Asta Maris kneep Karsch bemoedigend in zijn arm.

'Van vechten worden jongens groot,' zei ze opgewekt.

Karsch knikte. Daarin had ze gelijk, zonder dat ze wist waarom, want hij had Lund niet nog eens geslagen. Het was geen innerlijke stem of zoiets die het hem had verboden, niemand hief de wijsvinger op, het was een plotseling opkomende afkeer van zichzelf. Hij was weggerend en had de knuppel verderop in de Oder gegooid. Sindsdien had hij nooit meer gevochten, ook later niet, in zijn studententijd. Hij had alles over zijn kant laten gaan, de walging die hij toen had gevoeld, was altijd sterker geweest dan de pijn.

Asta Maris boog zich naar hem toe en gebood hem stil te staan. Ze trok een handschoen uit en veegde met de toppen van haar vingers iets van zijn wang, waarbij ze hem licht loensend van concentratie aankeek. Tegelijkertijd vroeg ze aan hem of hij wel eens verliefd geweest was toen hij jong was.

Nat van de mist kleefde haar blonde haar aan haar voorhoofd, een enkel mistdruppeltje flonkerde aan haar wimpers. Wanhopig trachtte zijn wang de afdruk van haar vingers vast te houden.

Tevergeefs.

Nooit was hij zo verliefd geweest als nu.

Maar dat zei hij niet. In plaats daarvan zei hij onverschillig dat hij ooit verliefd was geweest op een meisje in een restaurant dat hem zijn bier had gebracht, vervolgens had hij gemerkt dat hij altijd en overal verliefd was geworden op serveersters, het bleek een hebbelijkheid van hem te zijn.

Asta Maris giechelde en stelde voor dat ze een wit schort zou voorbinden, wat hij haar verbood. Zo voortbeuzelend wandelden ze over het dek, voor de deur van haar hut gaf ze hem ten slotte een kus op zijn wang en liet hem in alle staten achter.

In de salon liet hij zich inschenken. Terwijl hij een duim in een armsgat van zijn vest stak, overdacht hij zijn toekomst, zich afvragend waar ze gingen wonen en hoeveel kinderen ze zouden nemen.

Moser kwam melden dat er ruw weer uit het westen werd verwacht.

8

Natte sneeuwjacht, zeven beaufort uit een vuile hoek en meer op komst. De zee, als vlees dooraderd met sissende schuimsporen, rees en daalde koortsig. Hoog opspattend vernevelde het water tot een bremzoute mist, die op de lippen beet. Kapitein Paulsen verzocht de passagiers niet meer aan dek te gaan en ried hen aan alles wat los rondslingerde in de hut op te ruimen en zonodig vast te zetten.

De barometer viel verder.

Er scheurde een zeil dat knallend opzwiepend zich trachtte los te rukken van de ra. Even later scheurde er nog een. Matrozen werden de mast in gestuurd om de opstand te beteugelen. Glinsterend in hun oliegoed als spreeuwen op een telegraaflijn bogen ze zich over de ra's om zeil te bergen.

De Posen helde al zoveel over dat de patrijspoort van Karsch' hut zich permanent onder de waterspiegel bevond, waardoor hij zich in zijn hut niet meer op zijn gemak voelde. Hij leefde niet langer voor de zee, hij had andere plannen.

De bel voor het avondeten ging een uur eerder dan normaal.

Omdat er vliegende storm op komst was en de Aalander niet kon garanderen dat hij later op de dag nog iets warms kon bereiden, werd het eten eerder opgediend dan anders.

Tot teleurstelling van Karsch liet Asta Maris zich niet in de eetzaal zien. Hij zag de hutjongen met een vol dienblad de trap afgaan en nam zich voor haar eens te vragen wat ze toch steeds dagen achtereen in haar hut uitspookte.

9

Zee en lucht vervloeiden tot één verstuivende watermassa, de oceaan liet zijn legioenen in onstuitbare golven oostwaarts trekken. Het schip slingerde en stampte en liet muren van water over zich heen komen. Alles, alles drong naar het oosten. Wie aan boord van de Posen geen zeilen borg, hing aan het roer om het schip op koers te houden.

Ogenschijnlijk bekommerde kapitein Paulsen zich nauwelijks om de storm, het enige wat zijn humeur verpestte was dat hij uit de verkeerde hoek kwam. Als hij daar bleef zitten, moesten ze wachten tot hij draaide om Kaap Hoorn te kunnen ronden. Ze konden ook een zuidelijke koers aanhouden, maar als de wind uit de verkeerde hoek bleef komen, kon dat weer dagen vertraging opleveren.

Moser zat in de salon, gebogen over een zeekaart die bedrukt was met cijfertjes, lijnen en cirkels, alleen aan de zijkanten trof men onherkenbaar rafelranden van het vasteland. Af en toe stond Moser op om naar buiten te kijken, waarna hij de kaart opnieuw consulteerde, in zichzelf mompelde, de kaart draaide, op zijn kop keerde, weer terug draaide, van afstand bekeek, alsof hij de plek wilde vinden waar ze zich op dit moment moesten bevinden.

De hutjongen kwam vragen of iemand van de heren wist waar mevrouw Maris was. De deur van haar hut stond open, maar ze was nergens te zien geweest. Vanwege de storm had hij het eten niet zomaar ergens kunnen neerzetten en had hij haar geroepen, maar ze was niet komen opdagen.

Er viel een stilte in de salon. Moser en Karsch keken elkaar aan, geen van tweeën wist iets te zeggen. Karsch voelde zich misselijk worden. Voorbijflitsende visioenen van Asta Maris die in de golven verdwijnt nadat ze van het dek is gesleurd, een idioot visioen van Asta Maris die over de reling stapt en in een onaards licht gehuld over de golven van het schip wegwandelt, een ellendig visioen van Asta Maris die ergens op onbekende kust is aangespoeld, gezicht in het zand, zeewier in haar hand.

De jongen werd erop uitgestuurd om te vragen of ze misschien aan dek was gezien.

Nee, niemand had haar gezien.

Vloekend beval kapitein Paulsen de jongen nog eens te gaan kijken. Toen hij met hetzelfde bericht terugkwam, stond Karsch op en zei dat hij poolshoogte ging nemen. De tweede stuurman ging mee, Moser ook.

De tweede stuurman klopte aan de deur van haar hut, die weer dicht was. Toen hij niets hoorde, stak hij zijn hoofd om de deur, zich bijlichtend met een lantaarn.

'Niemand te zien,' stelde hij vast.

Moser wees naar een deur aan het eind van de gang. 'Ik heb dat ding nooit open zien staan,' merkte hij op.

De tweede stuurman bevestigde dat hij altijd gesloten was. Hij gaf toegang tot het ruim, maar iemand als mevrouw Maris had daar toch niets te zoeken? Hij wilde de deur sluiten, maar Karsch had de lantaarn al van hem overgenomen en liep de trap af. Moser en de tweede stuurman volgden met de lamp die in de gang hing.

10

In de lichtkring van hun lampen zagen ze stukgoed vastgesjord in oliedoek, hoog opgestapelde kratten. De angstige geur van uitwerpselen uit het varkenskot aan het andere eind van het schip. De lucht rook verbruikt. Boven hen braken de stormzeeën met doffe klappen op het dek, het kostte hen moeite om op de been te blijven. Hier en daar waren smalle doorgangen, die ze zijdelings konden passeren. Terwijl ze over de lading kropen en het ruim doorzochten, riepen ze keer op keer de naam van Asta Maris, zonder antwoord te krijgen.

Bij een masthuis zagen ze haar ineens. Ze zat met de rug tegen de mastkoker en keek in afgrijzen naar de vloer. Ratten scharrelden om haar heen, verhieven zich op hun achterpoten en staken bezorgd hun neuzen in de lucht, vluchtten voor het licht van de lantaarns achter haar rug, verdwenen half onder haar rok, schoten weg uit het licht. Verward wees ze om zich heen en sprak opgewonden in een vreemde taal.

Karsch boog zich over haar heen en sprak haar bemoedigend toe. Alles zou wel goedkomen. Er kon haar niets gebeuren nu hij er was.

Ze keek hem aan alsof ze hem voor het eerst van haar leven zag. Ja, ja, hij was er, zei ze in het Duits overgaand, maar haar ogen verrieden dat hij haar een volslagen vreemde was. Toen er een zware golf op het dek beukte, greep ze zich angstig aan hem vast en riep iets onverstaanbaars. Geheel overstuur wees ze naar het schimmenspel van hun schaduwen die links en rechts om hen heen dansten.

'Ik ruik drank,' zei Moser.

Karsch knikte. 'Ik ook.'

Toen ze haar door het stampende schip naar boven sjouwden, voelde hij haar lichaam trillen van angst. Boven aan de trap nam Karsch haar van de anderen over. Hij tilde haar op, verloor bijna zijn evenwicht en zou teruggevallen zijn in het ruim als de anderen hem niet hadden ondersteund. Moeizaam overeind blijvend op de hellende vloer, droeg hij haar met hulp van de anderen naar haar hut.

Karsch zette haar op de rand van het onopgemaakte bed neer.

Verdwaasd keek ze hem aan.

De hut was een grote wanorde. Twee lege rumflessen rolden over de vloer mee met de bewegingen van het schip. De klep van de grote hutkoffer met de M stond open, tussen de kleren lagen een paar volle rumflessen. In een opwelling van zorgzaamheid hurkte Karsch neer en gespte haar laarsjes los en trok ze voorzichtig uit. Toen hij haar voeten zag, stokten zijn bewegingen. Er was oud, aangekoekt vuil tussen haar tenen, rond haar hiel en bij de rand van haar voetzolen.

Ze volgde zijn blik en lachte maar wat.

Karsch merkte het niet, gebiologeerd staarde hij naar haar smoezelige voeten. Toen hij haar aankeek, trok ze hulpeloos haar schouders op. Plotseling verstijfde ze en wees met onvaste hand naar Moser.

'Nee maar,' hoorde Karsch hem achter zijn rug zeggen. Hij draaide zich om. De salpeterhandelaar hield een opiumpijp omhoog en wees naar ander gerei dat bij het schuiven werd gebruikt.

'Ik denk dat ik nu ook weet wat voor vriend die Chinees is geweest.'

Karsch nam hem de pijp af en gooide hem in de koffer. Kortaf zei hij dat dat Mosers zaken niet waren, maar zijn stem klonk hem dof en terneergeslagen in de oren.

Moser grijnsde. 'Ik begrijp ineens heel veel,' zei hij tevreden.

'Ik ook, en wat hebben we daaraan?'

Hij lachte. 'Wij? Niets. Misschien de les dat de mensen zich altijd anders voordoen dan ze zijn.'

'Ik kan u geruststellen, u bent altijd geheel uzelf.'

'Ja, ik wel,' knikte Moser ernstig. 'Ik heb niets te verbergen. Zo zou het altijd moeten zijn. Iedereen zou moeten weten wie de ander is. Het schept duidelijkheid als je de feiten van elkaar kent.'

Karsch verloor zijn geduld en wilde hem op zijn nummer zetten, toen Asta Maris in haar bed overgaf.

Moser trok een vies gezicht. 'U redt het ook wel zonder mij, zie ik. Als u me nodig heeft moet u me maar roepen.' Hij maakte een ironische buiging naar Asta Maris die nog nakrampend naar de inhoud van haar maag staarde.

Een zure lucht verpestte de atmosfeer. Na een korte aarzeling tilde Karsch haar op en droeg haar over zijn schouder naar zijn hut.

11

Op zijn bed zittend probeerde ze hem met één oog scherp te krijgen. Ze opende haar mond om iets te zeggen, maar in plaats daarvan boog ze het hoofd, richtte het weer op, schudde het langzaam, vertwijfeld door het falen van de woorden die ze wilde zeggen, omdat ze niets konden uitleggen, te vaal waren om de kleuren te schilderen die ze eraan wilde geven, groot en wanstaltig omdat ze zich klein had willen maken en zuiver – vooral zuiver – zodat ze alle smoezeligheid kon afleggen die nu nog als een kleverig floers over haar huid lag, zoals soms in het voorjaar er druppels uit de bomen vielen die zich overal op vastzetten en dingen dof maakten – wat deed dat er nu toe – ze kon alles verklaren – terwijl haar vingers pluisjes uit haar sjaal trokken – ze had helemaal geen geheim te verbergen, alles had een verklaring, als ze maar wist waar te beginnen... Opnieuw zocht ze naar woorden, maar ze zag ze alleen maar als beelden, roerloos, uit drukinkt gegoten, vijandig wachtend tot ze in de mond genomen werden, vastbesloten daar bitter te zijn, haar tanden zwart te maken, alsof ze drop had gegeten dat ze heel vroeger, in de verboden jaren, heimelijk voor een halve cent had gekocht.

Met lege blik staarde ze naar de zee die langs de patrijspoort voorbij kolkte. Ze leek niet meer zo bang voor de heftige bewegingen van het schip. Verlatenheid was over haar heen gekomen.

12

Rum en opium.

Karsch wilde zijn keel schrapen en er iets verstandigs over zeggen, maar de twee woorden verwarden hem. Rondkijkend in zijn ordelijk opgeruimde hut keek hij rond in zijn geest waar opium en rum woorden waren en niet tot de ervaringen behoorden, maar ze openden kleine deurtjes waaruit een schemerig, verleidelijk licht stroomde, een licht dat alles zacht maakte, gladstreek, wegwreef. Goetz Wyrow presideerde over dit licht, in een sjamberloek van Perzische zijde, omgeven door een geur van edel bederf. Nooit viel het woord, nooit sprak hij erover, maar heel het huis wist op welk zuiden de ramen opengingen, welke lichtende paradijzen zich hier in de schemering hadden getoond, aan Goetz en aan degenen die hem er waren gevolgd, van wie Karsch er nooit een was geweest omdat hij altijd op het laatste moment was teruggedeinsd. Toch werd hij nog uitgenodigd als Goetz op meisjes had getrakteerd, misschien wel om vol leedvermaak te zien hoe iemand als Karsch door zijn eigen opwinding in verwarring werd gebracht.

Uit een ander deurtje scheen het licht van Pommeren. Het was het overdadige licht van oudejaarsavond, alles wat er aan lampen en luchters was stond in de ontvangsthal, flakkerend in de luchtstroom van de passerende genodigden, het was het licht dat op blote armen scheen en op de grote zilveren kom met rumpunch. In het koetshuis zaten de koetsiers de verveling te verdrijven met *Schnaps* en brood met reuzel en zout.

13

Karsch stond op om Asta Maris gerust te stellen, toen een onverhoedse beweging van het schip hem terugwierp in zijn stoel.

Op het moment dat hij was opgestaan, had ze haar ogen neergeslagen naar het bed en streek nu nadenkend met haar wijsvinger lijntjes over de deken. Toen hij opnieuw opstond, glimlachte ze zonder hem aan te kijken en begon haar bovenkleren los te knopen. Voordat hij had besloten dat hij haar moest tegenhouden, had ze haar borst al ontbloot.

Niet wetend wat te doen deinsde hij weer terug.

Ze had wel verwacht dat hij haar niet mooi zou vinden, zei ze, haar huid glansde niet en waarschijnlijk was ze hem te oud. Nog steeds zonder hem aan te kijken leunde ze naar achteren en peuterde wat aan de knopen van haar rok zonder ze ook werkelijk los te maken.

Karsch wist niet wat hij moest doen. Zijn mond

was droog. Hoe opgelaten hij zich ook voelde, zijn lichaam wist van niets. Hij had al enige dagen een branderige plek op zijn geslacht, die met momenten van opwinding zoals nu onaangenaam meezwol. Misschien zou hij haar kunnen strelen en iets troostends zeggen. Intussen schoof zijn onderlichaam zich gestaag uit als een rolfluitje en begon ongeduldig tegen zijn broek te drukken. Karsch schraapte zijn keel, wilde iets zeggen maar wist niet wat en sloot zijn mond. Hulpeloos dwaalden zijn ogen af naar haar vieze voeten.

Ze volgde zijn blik. Blozend greep ze haar kleren en drukte ze tegen haar borst en kroop naar de hoek, haar voeten onder zich verbergend.

'Ik was bang.' Hoewel haar tong nog dik was van de drank, was dit het eerste dat hij goed verstond sinds ze haar in het ruim hadden gevonden.

Karsch knikte. 'Dat is nu niet meer nodig.' Het klonk vaderlijk, maar zijn opwinding verflauwde niet.

'Jawel. Ze zijn nog overal, achter de wand. En boven me,' zei ze haar ogen plotseling wijd opensperrend. 'Hoor daar is er weer een.'

De Posen werd door een hoge zee opgetild en viel met een klap in het dal.

'Dat zijn maar golven. We zitten in een storm.'

'Ja, dat zijn het, golven. Straks komen ze de trap afstormen, rennen de kamer in, trekken je mee...' Ze sperde haar ogen wijd open. 'Dit is jouw zee. Nergens ben je er veilig. Hoe kan dat nou?' klaagde ze. Ze wees angstig naar het zeewater dat in vliegende vaart schuimend langs het glas van de patrijspoort schoot en ineens donker en ondoorgrondelijk werd wanneer het schip nog verder overhelde. Het water leek dan alle snelheid te hebben verloren en leek eerder massief en stil. Karsch voelde zijn adem stokken. Daar, in die kleine, bedompte hut begreep hij wat de zee in werkelijkheid was: geen vlakte met einder en bruisende golven waaruit bruinvissen vrolijk opsprongen – nee, de zee was als de zon, die aan haar oppervlakte scheen te kolken alsof het één grote oceaan was en die van binnen heet en wit was, zoals in de diepten van de zee koude en duisternis heerste. Zon en zee waren dode materie, die leefde.

'Het is mijn zee niet,' zei Karsch, terwijl hij het gordijntje voor de patrijspoort schoof. Hij loog dat de wind al wat was gaan liggen, morgen zou alles weer normaal zijn.

Ze wist niet of ze hem moest geloven. Toen knikte ze bedachtzaam. 'De zee was altijd van jou, want jij wist altijd alles van haar.'

'Ik heb er nooit iets van geweten.'

'Dat zeg je nu,' pruilde ze.

'Ja.'

Het antwoord verraste haar.

'Je vindt me lelijk, hè?' vroeg ze nadat ze haar handen bekeken had.

Verbluft door de plotselinge wending wilde hij weten hoe ze daarbij kwam, maar ze wimpelde zijn protesten af en zei dat ze wel gevoeld had hoe hij naar haar keek. Zij was niet meer jong, te oud voor iemand als hij, al had ze nog even gedacht... Maar dat was dom geweest, daar kon niets van komen, want ze had al wel geweten dat zij hem toch weer achter zou moeten laten en weer ergens aan boord zou gaan.'

'Woon je dan nergens?'

Ze haalde haar schouders op. 'Woon jij ergens?'

Hij zag een appartement in Hamburg voor zich, de foto's die hij in de spiegel had gestoken, het kale Perzische kleed dat hij van iemand had gekregen en maar had neergelegd, ook al vond hij het niet mooi, de stoelen die om elke tafel hadden kunnen staan, de keuken die hij nooit gebruikte, de koude slaapkamer die naar het binnenplaatsje rook. Daar woonde hij.

Huiverend haalde ze haar schouders op. Wat moest hij ook met haar, zei ze mopperig, ze had haar tijd gehad. De rusteloze jaren waren nu aangebroken, de jaren van het wachten en het wachten. Lege jaren waarin je beter onderweg kon zijn. Het vasteland was mooi in de verte. Alles was mooi in de verte. De verte was mooi. Alles wat ver was, was mooi.

Ze trok de deken van het bed, sloeg hem om, legde haar hoofd op het kussen, zei iets in het kussen, staarde voor zich uit. Even later viel ze in slaap.

14

Terwijl hij naar haar keek, hoopte Karsch dat de Posen nooit een haven zou aandoen en voor altijd onderweg zou zijn naar Valparaiso. Wat moesten ze, hij en Asta Maris, als het schip over een week of wat op zijn bestemming aankwam? Hij had geen idee waarvoor ze naar Valparaiso ging, hij had het nooit durven vragen uit angst voor het antwoord. 'Optreden' zou dat in het gunstigste geval luiden. Eigenlijk wilde hij helemaal niet weten wat ze aan land deed, wat hij ervan wist beviel hem niet: de lokale Chinees en de drankhandel bezoeken. Waarschijnlijk zou het probleem zich vanzelf oplossen omdat ze spoorloos in Valparaiso zou verdwijnen of op een stinkende stoomboot van een lijndienstje verder naar het noorden zou reizen. Als hij haar zou overhalen mee te gaan naar Duitsland, dan zou hij haar onvermijdelijk aan zijn moeder moeten voorstellen, die meewarig zou lachen en koeltjes Agnes Saënz naar voren zou schuiven, waarmee de zaak gesloten was. En als hij haar alleen zijn Hamburgse leven liet delen, met de duttende heren van de sociëteit, zijn studievrienden met wie hij bij het bier alleen over water sprak? Wat zouden die zeggen van rare danspassen op vieze voeten, rum uit waterglazen, opium, haar hutkoffer waarin haar hele hebben en houwen zat? Wat zouden hun vrouwen zeggen? En wat zei hij, Franz von Karsch ervan?

Hij bekeek de slapende vrouw aandachtig. Hij wist niet eens hoe oud ze was. Hoe meer hij erover nadacht, des te onmogelijker werd het hem zich een bestaan voor te stellen waaraan zij zou meedoen. Alleen hier, aan boord van de Posen, was het goed voor hen. Karsch hoopte dat het schip nooit ergens zou aankomen. Alleen dan hadden ze een kans. Ze konden de hutten een tussendeur geven, zodat zij zich met haar pijp kon terugtrekken. Ze zouden lange wandelingen over het dek maken, de Aalander zou voor hen koken, verhalen vertellen en aan de lepel likken, de tweede stuurman zou uit de bijbel voorlezen en Karsch uit het boek van Totleben dat niemand begreep, Moser zou de rol van vervelende buurman op zich nemen. Ze zouden niet meer aan land gaan, maar langzaam vervagen op de oceanen, de Posen zou een spookschip worden, dat zich nog maar hoogst zelden aan een mensenoog zou vertonen, en dan nog vluchtig als een verschijning van zilverig spinrag aan de horizon, die al weer was verdwenen voor men nog een keer had kunnen kijken.

Zijn blik viel op een voet die onder de deken uitstak. Hij wendde zijn blik af en voelde zich leeg.

Als het meezat waren ze over twee weken in Valparaiso.

Karsch had spierpijn en voelde zich koortsig. Terwijl hij in zijn koffer naar kinine zocht, maakte hij haar met zijn gestommel wakker.

15

Ze sprak gehaast.

'Ja, ja, ik ben ooit getrouwd geweest. Lang geleden en maar een half jaar lang. Ik was nog een kind, ondanks dat ik al vierentwintig was. Gelukkig ben ik hem al vergeten. Als je zegt dat je dat niet gelooft, heb je gelijk. Er is geen dag dat ik niet aan hem denk. Niet omdat ik hem mis, al was hij echt mooi met zijn donkere krullen. Waarom wel? Hij was jaloers op me, ondanks alles wat hij zelf was. Ik vond dat amusant. Hij wilde niet dat de mensen naar me keken, om me heen draaiden. Ik vlinderde zonder verantwoordelijkheid door het leven, vond hij, ik sloot met iedereen vriendschap; hij verweet me dat ik tot liefde niet in staat was omdat ik altijd lachte. Lachen maakt apen van de mensen, zei hij. Ik zal je niet vervelen met de rest. Hij was hard, maar hij was mooi. Nu goed, op een dag sloeg hij me om die lachende duivelin die in me zat het zwijgen op te leggen en kort daarop nog een keer omdat ik hem achter zijn rug had uitgelachen. Na verloop van tijd had hij geen aanleiding meer nodig, ging het hem eigenlijk alleen om het slaan. Zijn vertrokken gezicht maakte zijn schoonheid stuk. Zijn handen begonnen te beven. In een vlaag van helderheid heeft hij me weggestuurd. Huilend heeft hij me nog nageroepen dat ik niemand in de wereld zou vinden die zo van me hield als hij.

Naar mijn ouders kon ik niet terug. Ik ben met een Engels schip naar Ceylon gegaan, maar daar kon ik niet blijven. Nu ben ik hier. Als ik iemand zou vinden *(Het klonk als: 'Als iemand me zou vinden...')* zou ik misschien rust krijgen en me vestigen. Waar? Maakt niet uit, alles is goed.'

16

Na een korte aarzeling zei ze dat hij niet bang hoefde te zijn dat hij een kind bij haar zou verwekken, kinderen zou ze niet meer krijgen, dat was voorbij.

Hij reageerde niet. Een koortsvlaag maakte zijn huid klam. Haar stem klonk van ver, zoals vroeger in zijn halfslaap de stem van de kindermeid had geklonken als ze hem wakker kwam maken. Uit de wolken die hem toen hadden omringd, waren handen naar hem neergedaald om hem het zweet van zijn voorhoofd te vegen.

'Waarom zit je daar als een zombie?' vroeg ze ineens geprikkeld. 'Je beledigt me. Weet je dan niet wat je met een vrouw moet doen?' Ze kwam overeind, haalde haar armen van haar borst en duwde haar boezem even uitdagend naar voren. 'Weet je het niet?'

Ze glimlachte onzeker.

Nee, hij wist het niet. Nooit geweten ook. Al had hij het wel gedaan, altijd veilig achter een kamerscherm, ver weg van getuigen, haastig met iemand die hem nog eerder was vergeten dan hij haar. Zo was het draaglijk geweest.

Over een maand kon hij in Duitsland zijn en er eindelijk het stuk met Agnes Saënz opvoeren, Asta Maris zou daarin geen rol spelen, zelfs niet als herinnering. Maar toen hij opstond en zijn geslacht een beetje schrijnde wist hij dat ze al met het stuk bezig waren en dat Asta Maris nog op het toneel stond. Hij nam een deken en legde die over haar heen. Daarna verliet hij zijn hut.

Toen hij een uur later terugkwam om te zeggen dat de storm nu echt ging liggen, was er niemand in zijn kamer. Het bed was keurig opgemaakt.

17

Moser schudde het hoofd. 'Opium.'

Karsch zei niets.

'Rum.'

Boven hen op het kampanjedek leunde Asta Maris over de reling en keek naar de zon, die aan de einder in gemeen rood en naargeestig oranje het stormweer uitluidde. De wind was dan wel gaan liggen, maar nu hij naar het zuidwesten was gedraaid, was hij veel kouder. Er was die middag al wat sneeuw gevallen.

'Wie had dat gedacht,' verzuchtte Moser ironisch. 'En wij maar geloven dat ze een dame was.'

'Ook dames schuiven opium en drinken rum, Moser.'

18

Hij had Asta Maris die dag niet aangesproken, omdat hij er zeker van geweest was dat ze steeds met opzet haar rug naar hem had toegedraaid. Als dat het was wat ze wilde... Ze zou gauw weer een vreemde voor hem worden. Het speet hem wel, maar niet zo dat hij het ernstig nam. Het was het nagloeien van een gedoofd vuur, niet meer.

Nee, de kunstmatige paradijzen, die ze al die dagen dat ze niet aan dek was verschenen had bezocht, ineengekruld als een kind, waren niet de reden dat hij haar gezelschap niet langer zocht – al maakten ze hem weemoedig, die paradijzen. Dat ze dronk kon hem evenmin veel schelen. Het waren haar vieze voeten geweest. Overal ter wereld was hij ze tegengekomen, altijd bij armoedzaaiers, sloppenmensen, bedelaars. Mensen uit een vuile wereld die hem steeds met achterdocht hadden opgenomen alsof ze wilden vaststellen of zij en hij wel tot dezelfde diersoort behoorden, tegelijkertijd zag hij in hun ogen al de haat en de berekening schemeren waarvoor hij zijn blik neersloeg om dan hun vieze blote voeten met zwarte randen te zien waar vochtig vuil was opgedroogd. Er liep een grens tussen hen, die beide partijen, onbehaaglijk in elkaars aanwezigheid, eerbiedigden. Zwijgend. Er viel niets te onderhandelen. Wie vieze voeten had, berustte, door nood gedwongen of vrijwillig, dat maakte geen verschil.

Narrig spoog hij in zee.

Wel, en hij dan? Hoe zat het dan met hem? Hydrograaf blijven, zich voortplanten met iemand die er verder niet toe deed, haar een maal per jaar met de kinderen en – vooruit – haar vriend achterlaten om op studiereis naar Rio de Janeiro te gaan? Naar het huis met het lelieveld? Waren er niet overal huizen met lelievelden? Dan zou hij ook bij de Chinees langs gaan, zodat hij eindelijk zijn droomeiland kon betreden en daar Asta Maris aantreffen, op schone voeten, week en roze gesabbeld door geurig badzout. Dan zou hij daar haar kleren losknopen, zoals zij het bij zichzelf had gedaan, voorzichtig met de vingertoppen, alsof ze met een precies borduurwerkje bezig was, en daarna voorgoed in haar verdwijnen, in haar glimlach, in haar danspassen, een vissertje worden in het Delfts blauw van haar ogen, een tollend kind, gehoorzamen als ze hem toeriep dat hij nog dieper en dieper in haar kon afdalen, tot ze met een blaffende lach haar hoogtepunt zou krijgen, waarmee ze slechts aankondigde dat alles weer opnieuw moest beginnen. En zo zou het geschieden ook.

Hij keek uit over de zee. Ze was traag van de koude en afwezig als een afgewezen vrouw, die wraak overwoog.

19

De Posen voer weer onder al haar zeilen. Al hing er in de verte nog een lucht van uitgelopen waterverf, de halcyionische stilten van het zuiden kondigden zich al aan toen de geelgrijze en lichtroze wolken westwaarts wegdreven en aan de horizon het witte aureool van de poolkou opgloeide.

Hoe verder ze naar het zuiden voeren, hoe langzamer het leven werd, hoe bedachtzamer hun bewegingen, hoe gedempter hun stem. Er waren wolkjes als ze praatten, 's avonds bracht de hutjongen op verzoek een gietijzeren test met kolen.

Elke dag kwam Karsch aan dek om met koortsige blik naar het zuiden te kijken. Als de wereld opnieuw zou worden geboren, zou het zo zijn als hier. Als ze zou ondergaan ook. Geen vuur, in hemelsnaam geen vuur, geen warmte, geen zon als een haren zak. Nee, ijzige kou, waarin alles hygiënisch zou verstarren, breken en uit elkaar vallen, waarna een opstekende wind het tot stofsneeuw zou slijpen en verspreiden waar hij maar wilde.

Maar eerst zouden ze Mosers nieuwe tijd nog moeten afhandelen. Karsch wist inmiddels wat er van hem werd verwacht. Hij zou aan zijn kleinheid moeten wennen, moeten leren dat hij een van de velen zou zijn, grootheid zou in de toekomst toch met andere maten worden gemeten. Wat kon hem het schelen, hij kende zijn maat, voor grootheid had hij nooit talent gehad. Als je Totleben mocht geloven, zou het allemaal ook weer snel voorbijgaan. Tijdens een eindeloze dekwandeling had hij minzaam college gegeven over Moser en zijn gelijken.

'Hij begrijpt niet dat ook aan zijn tijd een einde komt,' had hij gezegd, 'en dat ook de wereld van zijn feiten door zichzelf verveeld raakt en dat er dan nieuwe Mosers zijn die hem komen vertellen dat er een nieuwe wereld op til is met weer nieuwer, nóg blinkender feiten. Al het nieuwe heeft pas werkelijk betekenis als het naderhand ook als het oude kan dienen – en beter nog, als het eeuwige.' Totleben had daarop luid en honend gelachen, iets wat hij zelden deed. Karsch had met hem meegedaan, al had hij niet geweten wat er nu zo leuk was geweest. Totlebens lach was hem eigenlijk onaangenaam geweest. Er had rancune in geklonken die zich tot leedvermaak had opgewerkt. Totleben was niet van plan geweest *acte de présence* te geven op Mosers Groot Optimistisch Wereldtheater van de Feiten en de Vooruitgang.

Tot zijn ergernis had Karsch zich klein gevoeld naast Totlebens lach. Daar had hij dan gestaan met zijn klotsende zee en zijn blikken instrumentjes, dom onverschillig als hij was jegens de wereld. Fatsoenlijk was hij natuurlijk wel. Weldenkend ook, hoffelijk – *'Dames gaan voor'* – en bij gelegenheid gematigd vooruitstrevend, al was er zelden gelegenheid dat te laten zien. Voor hem werden in de wereld de kaarten niet geschud.

20

Karsch had een laffe smaak in zijn mond, de herinnering aan het lachen van Totleben suisde nog na in zijn oren. Hij vroeg toestemming aan kapitein Paulsen om met de matrozen de fokkemast in te gaan om naar ijsbergen te speuren.

Uitkijkend over de ijszee, werd er iets in het hoofd van Karsch geboren, iets zwarts dat glansde als de steen van zijn zegelring. In dat zwart formuleerde zich een groot en onweerspreekbaar *nee*, dat groter en groter werd tot het te gloeien aanving. Aanvankelijk klein nog als een zon die tot een speldeknop was ineengestort, waarvan de stralen alleen in excentrieke spectra konden worden waargenomen – of oplichtend op een toevallig fluorescerende ondergrond – maar die nu tintelend lichaam en geest van Karsch doorstroomden. Het was een verleidelijk gif. Zonder dat het hem ook maar een keer met angst of afkeer vervulde, toonde het vervolgens in een zich almaar herhalend visioen hoe zijn ziel in een flits verging. Maar steeds stond hij uit elke dood weer op.

Het visioen sloop zijn leven binnen en kleurde alles wat het daar aantrof met een gloed van nieuwe kleuren, de wereld die hij had gekend smolt weg, zoals soms voor de ogen van de toeschouwers een celluloidfilm op het doek plotseling krulde en daarna verbrandde onder de hitte van het licht in de projector. Bij Karsch verbrandde ook het witte scherm, daarachter de wereld onthullend in haar barre gedaante van donker doolhof met één uitgang, waarin miljoenen tastend voortgingen. Boven, in een hemel van het koudste blauw, waren er voor de vermetelen wegen te vinden om eraan te ontkomen en hij wist dat hij nu een van hen was, omdat zijn dood hem nu onverschillig liet.

Dronken van alle nieuwe beelden klom hij uit de mast, liep als in trance de trap van het bakdek af en ging regelrecht naar de hut van Asta Maris. Zonder kloppen liep hij naar binnen.

Ze lag op haar bed, de benen opgetrokken, de opiumpijp, de scepter die over haar dromen heerste, naast haar op het kussen.

21

De wind was naar de goede hoek gedraaid en wakkerde weer aan. Dagen achtereen al voeren ze in vliegende vaart naar het noorden. Indien ze zoveel mijlen per dag bleven afleggen als nu zouden ze weldra in Valparaiso aankomen.

Toen er enkele dagen eerder land aan stuurboord was gesignaleerd, had Moser al handenwrijvend aan de reling gestaan en Karsch de besneeuwde toppen gewezen die in de verte als een kartelrandje even boven de horizon waren getekend.

Wat gemelijk had Karsch er de schouders voor opgehaald. Hij voelde zich nog altijd koortsig, de grootse duisternis die kortelings in hem was gegroeid was onbestemder van kleur geworden; misschien kwam het ook door zijn koorts dat Karsch er minder zeker van was wat het te betekenen had gehad. Zijn *nee* dat zo gulzig en glorieus de dood had omhelsd, was nog door geen aarzeling aangetast, maar nu Valparaiso steeds dichterbij kwam, wist Karsch dat hij eenmaal onder de mensen het dagelijks bestaan weer zou moeten hervatten. De verveling zou zijn leven opnieuw binnensijpelen, de dood zou hij weer met angst tegemoet zien, omdat er in Hamburg aan het instituut geen fokkemast was en geen ijszeeën die je mochten betoveren wanneer alles als zand tussen je vingers wegstroomde.

's Avonds kwam Moser hem uit de salon halen. Tegen de heuvels opklimmend schitterden duizenden lichtjes. De Posen was buitengaats voor anker gegaan, morgen bij zonsopgang zouden ze de haven van Valparaiso worden binnengesleept.

22

Vuilgrijze lucht en wat ochtendnevel, het dek gehuld in de rook van twee sleepbootjes, die hun neuzen tegen het afgetuigde schip drukten en het, alsof het een in het rond tastende blinde was, met zachte drang naar zijn plek aan de kade loodsten.

Asta Maris had haar dromen verkozen, verder stond iedereen aan boord toe te kijken hoe de Posen afmeerde.

De valreep werd neergelaten, mannen in uniform kwamen aan boord, keken in het ruim, spraken met kapitein Paulsen en vertrokken even later weer. Kort daarop arriveerde de agent van de rederij en verdween met Paulsen in de kapiteinshut.

Moser nam alvast afscheid van de matrozen, stak nog een sigaartje op en keek met glinsterende ogen naar de stad. Opgetogen liep hij langs de reling op en neer, wees verrukt vrachtauto's aan, verkneukelde zich om hijskranen. Eenmaal stopte hij om zijn horloge te trekken, waardoor het leek dat hij alweer was ingeschakeld in het netwerk van zakelijk verkeer. Hij stond te popelen om van boord te gaan, om luid roepend de stad in te gaan en te verkondigen dat hij, Amilcar Moser, geboren te Triëst – maar geen Italiaan – gevolmachtigde van een gerenommeerd Hamburgs salpeterhuis, man van een overspelige vrouw, maar minnaar van alle feiten, roker, drinker, handelaar, Heraut van de Vooruitgang in de gelukkige stad Valparaiso was aangekomen!

'Wel, wanneer vertrekt uw volgende schip?'

vroeg hij aan Karsch, die hem een paar dagen eerder al had verteld dat hij niet met de Posen naar Europa zou terugreizen.

Karsch legde uit dat hij vanuit Valparaiso de trein naar Santiago zou nemen en vandaar zou doorreizen naar Buenos Aires. Als hij geluk had en daar niet te lang op een lijnboot hoefde te wachten, kon hij over iets meer dan een maand in Hamburg zijn.

Verwonderd hoorde de salpeterhandelaar hem aan. 'Nou, nou, u heeft wel haast om thuis te komen.'

'Ja.'

'Trekt de zee niet meer?'

Karsch gaf geen antwoord, hij voelde zich weer koortsig. Onbewogen keek hij toe hoe Asta Maris in een zwart huurrijtuig stapte. Twee matrozen hadden haar grote koffer, waarop de 'M' ook van afstand nog goed te lezen viel, met de koetsier op het bagagerek vastgesjord.

Moser noch Karsch maakte er een opmerking over dat ze geen afscheid van hen had genomen, in plaats daarvan zei Karsch: 'Nee, de zee trekt niet meer.'

Ze keken het rijtuigje na.

'Wat gaat u dan doen?'

'Ik?' Karsch haalde zijn schouders op. Het zweet liep hem over de rug.

23

Karsch liet zich in Santiago de Chile naar het *Deutsches Gymnasium* brengen, bekeek het onaanzienlijke gebouw en wilde zich bij de rector laten aankondigen, maar de portier vertelde dat er niemand was, waarop Karsch hem vroeg of een zekere Dr. Totleben uit Halle hier ook bekend was. De portier, die gebrekkig Duits sprak, had genoeg verstaan om beslist het hoofd te kunnen schudden.

'Totleben? Ha, ha, u maakt een grapje. Nee, die is hier niet bekend.'

Als hij niet gedwongen naar Duitsland was teruggekeerd, moest Totleben zich dus nog ergens op het continent ophouden. Karsch' verbeelding had hem het laatst in Manaus gezien, nee, nog verder westwaarts, immer westwaarts varend, op zoek naar zijn worgengel om hem in het gezicht uit te lachen en in zijn bijzijn zijn demon te omhelzen. Zo zag hij het nu in zijn koortsdroom. Natuurlijk had hij die jongen aangemoedigd toen hij uit het raam wilde springen – *Spring dan, m'n jochie, m'n kikkertje, m'n krekeltje. Spreid je armen uit en spring!* – hij had het voor geen goud willen missen, maar hij had hem met geen vinger aangeraakt. Toen niet. De demon – *Apollyon had zich over hem ontfermd!* – zou lachen zoals het nijlpaard kakt en hem op de vleugels van raven meenemen naar Santiago, waar Totleben een briljante carrière in zijn dienst zou maken. Waar Totleben kwam, sprongen de knapen.

Hij was alleen nog niet te bestemder plekke.

De portier van het gymnasium keek hem bezorgd

aan. Of hij de *señor* misschien kon helpen. De *señor* zag er slecht uit. Aan de overkant van de straat woonde een dokter.

De arts beweerde dat hij Frans sprak. Hij gaf de portier van het gymnasium een fooi en duwde Karsch een gang in, opende een deur en liet hem in een kamer, die behangen was met platen die de menselijke anatomie toonden. Links en rechts waren er luiken in het lichaam geopend waar stippellijntjes en cijfertjes bijzonderheden markeerden waarop men de toeschouwer opmerkzaam wilde maken. Vlak voor zijn neus had zich de vrouw geopend, gedienstig viel haar vel opzij om een kronkelig orkest van doedelzakken, kronkelende serpenten, geelkoperen klephoorns te tonen dat ze onder het heiligdom van het bekken – *tsjing boem!* – liet uitlopen in het teder trompetje van haar anus.

De arts wees hem een stoel. Daarna ging hij achter een enorm bureau zitten dat hem bijna aan het oog onttrok, boog zich voorover en bekeek de patiënt door een leesbril.

Toen vroeg hij: 'Koorts?'

'Ik denk het'

'Weet niet zeker?'

'Nee.'

'Ah. Influenza?'

'Misschien.'

'Ah, goed. Buikpijn?'

'Nee.'

'Mooi. Cholera?'

'Nee.'

'Tyfus dan?'

'Nee.'

'Dan influenza. Alles is influenza. Is modern. Pijn aan tandvlees?'

'Nee.'

'Influenza, dan. Dat is het beste.'

Met een onaangedaanheid die Karsch zelf verraste legde hij uit dat hij enige tijd geleden een vrolijke avond had gehad en zich daarom nu zorgen maakte.

Achter het fort van zijn bureau keek de arts hem niet-begrijpend aan. Hij besloot zijn bril te poetsen.

Karsch ging staan en wees op zijn kruis, waarna hij tot verwondering van de Chileen zijn broek losknoopte en tegelijk met zijn onderbroek op zijn enkels liet vallen.

De arts tuurde achterdochtig naar de halfontblote Duitser. Ten slotte kwam hij achter zijn bureau vandaan, waste zijn handen en liep om Karsch heen. Hij gebaarde dat de patiënt moest gaan zitten.

Op dat moment schoof er aan de hemel een wolk voor de zon weg. Een helwit licht stortte zich uit in de spreekkamer. Terwijl de arts het geslachtsdeel van Karsch met een tangetje optilde en het nauwkeurig – *Tss, tss!* – inspecteerde, baande het licht zich als een vurig plasma een weg naar het innerlijk van Karsch, veroorzaakte een paar felle hoofdpijnsteken en liep toen ergens vast in de duisternis, waar het nog rood en zwavelig bleef nagloeien voor het doofde. Even kroop er angst in hem rond, daarna was er weer de onaangedaanheid van het *nee*, die hem kracht gaf.

'Niks influenza,' mopperde de arts terwijl zijn handen met ontsmettende zeep schoonboende. Over zijn schouder wierp hij een sombere blik op het geslachtsdeel van zijn patiënt en boende nog wat harder. Daarna verschanste hij zich achter zijn bureau, legde zijn handen op het vloeiblad en leunde weer voorover.

'Influenza was beter geweest. Modern. Gauw beter'

Terwijl Karsch zijn broek optrok, haalde de arts een doos poeders tevoorschijn, nam er een paar uit en zei dat de patiënt morgen naar het ziekenhuis moest voor onderzoek.

Daarna schreef hij de rekening.

De volgende dag zat Karsch in de trein naar Buenos Aires. Hij had een van de poeders genomen en voelde zich al weer wat beter.

24

Enkele dagen na zijn terugkeer in Duitsland gaf Franz von Karsch bij een recruteringsofficier van het leger schriftelijk te kennen dat hij dienst wilde nemen in het leger. Tijdens een later gearrangeerd gesprek bleek zich in het dossier, dat ooit over hem was aangelegd, alleen een schrijven te bevinden waarin stond dat Jochen Boldt als remplaçant de plaats van Franz von Karsch-Kurwitz had ingenomen bij het honderdtwintigste regiment infanterie en daar zijn dienst had vervuld.

Natuurlijk wilde men iemand van rang en stand als Karsch niets in de weg leggen, maar was zijn leeftijd niet een beetje aan de hoge kant? En lag een indiensttreding bij de marine niet meer voor de hand, gezien zijn eerdere loopbaan? Hij zou zich daar met zijn maritieme achtergrond zeker verdienstelijk kunnen maken en veel sneller een comfortabele rang kunnen bereiken.

Karsch gaf de voorkeur aan het veldleger.

Men zou kijken wat men kon doen.

25

Hij vertelde niemand van zijn terugkeer in Duitsland, maar toen hij een goede bekende van zijn ouders op straat tegenkwam, begreep hij dat hij zich moeilijk nog lang kon verstoppen. Hij stuurde een telegram naar zijn familie in Pommeren dat hij weer in het land was en dat hij hen spoedig zou zien. Maar in plaats daarvan stelde hij het bezoek almaar uit. Hij maakte lange wandelingen door Hamburg en dacht aan weinig. 's Nachts lag hij wakker en dacht aan niets. Op het instituut liet hij zich niet zien.

Het duurde nog een maand voor hij zich ertoe kon brengen de trein naar Pommeren te nemen.

Zijn moeder pakte hem bij de schouders en drukte haar zacht geworden wang tegen de zijne, ondertussen met haar lippen iets vluchtigs in zijn oor blazend. Toen hij van haar parfum moest niezen, duwde ze hem geschrokken van zich af, keek hem in het gezicht en schudde hem lichtjes door elkaar.

'Jij bent mijn Franz niet, zo, met dat smalle gezicht en die sombere frons,' sprak ze bestraffend. En daarna pruilend: 'Mijn Franz was altijd dol op zijn moeder. Hij lachte altijd tegen haar, ook als hij haar een tijd niet had gezien.'

Met de rug van haar vingers streek ze even over zijn wang en sloot haar foulard koket over haar boezem.

Vroeger had hij zich geen raad geweten wanneer ze zich had gedragen alsof ze hem wilde verleiden. Iets waartegen hij geen verweer had dwong hem ertoe haar als vrouw waar te nemen en al was het maar voor even zijn kansen na te gaan. Het gaf hem een hol gevoel van woede, omdat hij wist dat haar verleidelijkheid verboden was, maar hij was er niet altijd zeker van geweest of hij er steeds weerstand aan zou kunnen bieden. Als altijd had zijn verwarring haar geamuseerd.

Vandaag voelde hij afkeer.

'Je ziet er slecht uit na zo'n lange reis op zee, ben je ziek of zo?' informeerde ze zonder veel interesse voor het antwoord, want ze had zich al weer van hem afgewend en zocht het kaartspel bij elkaar waarmee ze patience had gespeeld. 'Nu ja, het staat je niet slecht. Het schijnt in Berlijn mode te zijn.'

Franz bedankte haar voor het compliment en zei dat hij wat moe was. Hij informeerde naar haar gezondheid en haar welbevinden. Ze woof zijn vragen weg, greep hem bij zijn arm en kirde dat hij zo groot geworden was. Daarna keek ze hem nog eens goed aan, dit keer scherp en met een sluwheid die haar vroeger het ontzag van de pachters had opgeleverd. 'Heb je je moeder niets te vertellen? We weten niet eens waar je hebt gezeten.'

'Op zee.'

'Als kind had je een hekel aan de zee. Toen je ziek was moest je er voor je gezondheid naar toe, maar je wilde niet. Weet je nog? We hebben wat met je te stellen gehad. Je was nog een kind. Zo'n lieve jongen...'

'*Arrête, maman. Ce n'est pas le moment.*'

Ze zuchtte een beetje kwijnend, vermande zich en controleerde terloops haar toilet in de spiegel boven de schoorsteenmantel. Haar zoon had altijd Frans tegen haar gesproken als hij afstand tot haar zocht.

'Het is iets van vroeger,' mopperde ze, 'dat kan toch geen kwaad?'

'Jawel.'

'Ga je niet zitten?' vroeg ze met een lieve glimlach terwijl ze zich in een bergère liet vallen.

Het verleden kon wel kwaad. Het kwaad was het verleden, toen hij kreupel door de tijd schuifelde, beleefd opzij gaand voor iedereen. Zijn zoektocht was voorbij. Het 'nee' was geformuleerd en het verhardde zich weer bij de aanblik van zijn moeder die hem uit haar groeve van kussens en draperieën ironisch opnam.

'Als je niet wilt zitten, blijf je maar staan.'

Zijn stem maakte zich los van het draderig slijm in zijn keel en verkondigde stijfjes dat hij niet lang zou blijven. Morgen zou hij Agnes Saënz opzoeken.

Ze glimlachte welwillend. 'Gunst ja, die zal blij zijn je te zien.'

26

Op zijn kamer merkte hij dat hij uitgeput was. Hij sliep snel in, maar werd vier uur later al weer wakker. Op het moment dat hij zijn ogen opsloeg, meende hij ineens te weten dat zijn nieuw verworven, zijn diepzwart glanzende 'nee' in wezen een 'ja' was. Per slot van rekening had hij het ingehaald alsof het een schetterende operafinale was met pauken en trompetten, kolkende lavastromen, woedende orkanen, bliksem en donder, uitmondend in een hemels *Chorus mysticus*. Daarmee had hij het verleden afgesloten, de seconden die nu tikten behoorden al toe aan de toekomst.

27

Toen hij de salon binnenkwam, stak Agnes Saënz haar hand uit om hem te begroeten. Nadat hij wat onwennig haar hand had vastgegrepen, trok ze die haastig weer terug.

Toen hij niets zei, vroeg ze of het hem goed ging. Of hij een mooie reis had gehad.

Hij knikte.

Haar broer die in het vertrek aanwezig was, maakte geen aanstalten om hen alleen te laten.

Ze vond dat hij er gezond uitzag, de zeelucht had hem kennelijk goed gedaan. Er volgden meer aardige gemeenplaatsen, die hij niet had verwacht. Goed, ze zou hem niet in de armen zijn gevlogen, maar ze had op haar verlegen wijze toch blij kunnen zijn met zijn komst. Tot zijn verbazing was hij een beetje gepikeerd door de koele ontvangst.

De broer schraapte luidruchtig zijn keel. 'Zo zo, bent u weer terug, Karsch? Hoelang bent u ook al weer weggebleven? Eens kijken. Drie? Vier maanden? Half jaar? Een hele tijd. En nu bent u zomaar weer terug.'

Vragend keek Karsch naar Agnes Saënz, die zijn blik ontweek.

'Dit was mijn laatste reis,' zei Karsch, 'mijn onderzoek is afgesloten.' Hij hoefde niet eens te liegen, al zijn wetenschappelijke papieren had hij een week eerder in de kachel verbrand. Inderdaad, zijn onderzoek was afgesloten. Voorgoed.

De broer was niet onder de indruk. Hij stond op, stak een duim in het armsgat van zijn vest en lachte met te veel tanden. 'Toen we via een kennis moesten horen dat u allang weer terug was had Agnes u willen schrijven, maar bij nader inzien leek het ons beter met het versturen te wachten tot u weer helemaal bekomen was van uw omzwervingen.'

Hij haalde een enveloppe achter de pendule vandaan en gaf hem aan Karsch.

'Wat staat er in?' vroeg deze aan Agnes Saënz.

Ze bloosde. Voor de broer had kunnen ingrijpen, liet ze zich ontvallen dat ze zich tijdens zijn afwezigheid had verloofd.

Karsch barstte in lachen uit. 'Heb je je verloofd? Met wie? Wanneer?'

Haar broer kwam naast haar staan en maakte zich breed.

'Twee maanden geleden,' zei ze. 'Je kent hem niet.'

'Hij is een important zakenman in Stettin,' verduidelijkte de broer. 'De familie is ingenomen met Agnes' keuze.'

Karsch lachte. 'Heb ik me druk gemaakt om niks.' Vrolijk gooide hij de brief in de lucht. Voordat de broer het kon voorkomen, had hij Agnes Saënz bij de schouders gevat en zoende hij haar op de wangen.

'Gefeliciteerd! Lang zal je leven!'

Verbluft liet Agnes Saënz zich meevoeren in een soort rondedans, tot haar broer haar uit Karsch' armen trok en hem woedend vroeg wat dit voor manieren waren.

'Wist mijn moeder van je verloving?' vroeg hij aan Agnes Saënz.

'Natuurlijk niet,' riep de broer verontwaardigd, 'wij handelen dit soort dingen fatsoenlijk af. Wij wel.'

Achter zijn rug knikte Agnes Saënz, zijn moeder had ervan geweten.

Natuurlijk.

IV

Und ein Narr wartet auf Antwort…

I DE SOCIËTEIT

Op twaalf januari 1916 veroorzaakte de entree van Franz von Karsch-Kurwitz in de grote salon van de Sociëteit voor Handel en Scheepvaart in Hamburg enig opzien. Men had hem enkele jaren niet gezien, bovendien viel hij tussen de aanwezige marinemensen als voormalig medewerker aan het Instituut voor Hydrografie enigszins uit de toon, omdat hij het uniform van tweede luitenant der infanterie droeg, al was er niemand die hem er een vraag over stelde. Men was kies. Zelf begon hij er ook niet over. Wie hem nog kende van een paar jaar geleden, was niet alleen verrast door zijn ongezonde gelaatskleur, maar ook door zijn onverwacht ironische manier van doen; men kende hem als een bedaarde, wat kleurloze geleerde, die zich niet met de praktische vraagstukken van de hydrografie had beziggehouden. Nu was hij ontspannen en aimabel, praatte in algemene termen over de voortgang van de oorlog zonder in bijzonderheden te treden. Toch was er iets merkwaardigs aan hem, het was alsof hij niet werkelijk deelnam aan het leven. Hij had zich in zijn uniform verschanst. Stipt volgde hij de dagelijkse rituelen van het officiersbestaan maar scheen intussen ergens op te wachten. Waarop wist niemand.

Hij was met verlof terug uit België. Zijn familie

had in Pommeren nog altijd bezittingen, maar nu zijn moeder onlangs naar Lugano was verhuisd had hij er weinig meer te zoeken en bracht hij zijn vrije dagen in Hamburg door. Hij kwam op de sociëteit omdat hij er mensen van vroeger kende, maar met hen sprak hij niet langer dan met anderen.

Voor de duur van de oorlog bleef hij tijdens zijn verlof met enige regelmaat op de sociëteit komen. Hij nam deel aan diners, boottochten en de kerstbijeenkomst, tot hij even onverwacht verdween als hij was opgedoken. Men dacht dat hij gesneuveld was tot een marinearts, met wie hij vaak een glas had gedronken, met het bericht kwam dat hij in een militair hospitaal in Hamburg was opgenomen. Hij had hem daar toevallig aangetroffen en bezocht hem sindsdien regelmatig.

Hier volgt zijn verslag.

2 DE VERKLARING VAN DE ARTS

Ondanks mijn bezoeken heb ik luitenant von Karsch nooit erg goed leren kennen, alle vragen die op zijn privé-leven betrekking hadden, heeft hij steeds ontweken of gewoon niet beantwoord. Ook voor het overige was hij een gereserveerd man, maar in zijn innerlijk brandde een duister vuur, om het maar eens romantisch uit te drukken, dat waarschijnlijk niemand ooit heeft kunnen doorgronden. Hij had veel gereisd. Op de sociëteit zei men wel eens gekscherend dat 'Karsch alle golven van de zee had gezien'. Ontwikkeld was hij niet, in die zin dat hij niet graag over kunst en muziek praatte. Hij luisterde meestal beleefd. Om redenen waarover hij zich niet wilde uitlaten, had hij op betrekkelijk hoge leeftijd dienst genomen in het leger. Ik heb begrepen dat men hem bij het uitbreken van de oorlog tegen zijn zin op veilige afstand van het front een staffunctie had gegeven, maar dat hij vervolgens alles in het werk heeft gesteld om bij een gevechtseenheid te worden ingedeeld, hetgeen opmerkelijk is op een leeftijd waarop men er gewoonlijk alle moeite voor doet om het front juist te mijden. Volgens zijn medische papieren is hij nooit getrouwd geweest. Naar de reden daarvan moet ik gissen, maar als arts kan ik iemands gezondheidstoestand wel eens van het gezicht aflezen. Het verbaasde me daarom niet dat ik hem in het ziekenhuis aantrof met de verwaarloosde syfilis die zich al op zijn gezicht had afgetekend en die hij spottend als zijn 'influenza' betitelde. Bij mijn collega die hem behandelde, een bigotte vaderlander met één oog die alle soorten tucht hoog in het vaandel had, kon hij met zijn ziekte geen eer inleggen. Hij noemde Karsch steeds smalend 'die versjankerde graaf'. Zijn geslachtsziekte is overigens niet de reden geweest dat hij ter observatie is opgenomen, de indicatie die ik in zijn medische status vond luidde 'overspannenheid'. Een begeleidende brief van de legerarts vermeldde dat de eerste luitenant von Karsch-Kurwitz op een dag niet op zijn post was verschenen. Hij bleek onvindbaar. Twee dagen later werd hij bij Douaumont door verkenners in het niemandsland tussen de linies aangetroffen. Hij was geheel in de war en kon of wilde niet verklaren wat hij er deed. Men lag onder vuur, het kostte daarom enige moeite om hem terug te brengen naar onze stellingen. Met een gewondentransport is hij meegereisd naar Hamburg, waar hij ter observatie is opgenomen. De man die tijdens mijn bezoeken tegenover me zat, maakte op mij een verwarde indruk. Veel later, toen hij al naar de kliniek van Prof. Dr. Senf was verhuisd, heb ik hem gevraagd wat hij daar tussen de fronten heeft gewild. Ik kreeg een merkwaardig antwoord. Karsch had zestien jaar eerder zijn dienstplicht door een remplaçant laten vervullen. In dat godverlaten gebied tussen de linies had hij gemeend deze remplaçant te vinden, om diens plaats over te nemen en nu namens zichzelf te vechten en te sneuvelen, want ooit had hij een droom gehad dat een van hen tweeën op een ochtend ergens in het niemandsland tussen de linies dodelijk zou worden getroffen. Bij een volgend bezoek gaf hij me een verzoek mee voor zijn huisbewaarder van zijn appartement in Hamburg waarin hij om bepaalde foto's vroeg. Ik bracht ze hem. Hij doorzocht ze tot hij een foto had gevonden die op een zeilschip was genomen. Er stond een rijzige blonde vrouw op in een zomerjurk. Hij keek er een tijd naar en gaf hem aan mij met het verzoek de vrouw op te sporen. Op mijn vraag wie ze was, antwoordde hij dat zij Asta Maris heette en degene was bij wie hij zijn syfilis had opgelopen. Helemaal zeker was hij daar kennelijk niet van, want diezelfde middag zei hij dat hij háár de syfilis had gegeven. Waar ik haar zou kunnen vinden wist hij niet. Hij gebaarde naar buiten en zei onverschillig: 'Daar ergens.' Toen ik de foto voor de aardigheid op de sociëteit rond liet gaan, gebeurde er iets opmerkelijks. Een oudere kapitein, die hem enige tijd had bekeken, vertelde dat deze vrouw zich jaren geleden in Newark bij hem had ingescheept. Hij wist het nog, ze voeren in ballast naar Havana. Een ander bleek haar in Alexandrië aan boord te hebben genomen, waar hij katoen had geladen. Een derde kende haar van Pernambuco en een vierde van Freemantle. 'Wie is ze?' vroeg ik, maar niemand kon of wilde antwoord geven. 'Ze had een grote kist bij zich,' zei een van hen. 'Ze hebben me wel eens gezegd dat ze als valsspeelster de kost verdiende,' wist een ander te vertellen, maar degene die naast hem zat bestreed dat. Hij had van een collega dat ze in sjieke bordelen danste, wat door anderen weer niet werd geloofd. Toen ik al die verhalen aan Karsch vertelde, knikte hij alleen maar alsof hij het altijd al had geweten en hij borg de foto weg. De zaak had voor hem afgedaan.

Gaandeweg ontwaakte hij uit zijn verwarring en kon hij weer lange tijd achtereen een verstandig gesprek voeren. We spraken over de oorlog, die hij niet meer terug zou zien. In juni 1917 heeft hij de dienst verlaten en is hij naar Pommeren vertrokken. De laatste keer dat ik hem zag, was in het restaurant waar hij me ten afscheid voor het middageten had uitgenodigd. Op een zeker moment zei hij: 'Weet u, ik vlieg in de grote zwerm, maar zal nooit de voorste vogel zijn. Maar misschien zie ik het verkeerd en heeft de zwerm helemaal geen voorste vogel die hem leidt en is hij die het is het alleen maar bij toeval, omdat de vorm van de zwerm hem die plek voor even heeft opgedrongen en heeft de zwerm ook geen doel, net zo min als de som van onze levens. Een handvol confetti in de lucht is het, die maar niet wil dalen omdat hij door een onbekende kracht almaar wordt voortgestuwd, maar wat kan het die vogels schelen. Kijk, daar gaan ze blinkend in de zon.'

Dit is wat er over Franz von Karsch in mijn aantekeningen staat.

3 HET NOTARISKANTOOR

Na een half jaar van naspeuringen was het advocatenkantoor Maria Anna Zick op het spoor gekomen en had men haar zover weten te krijgen haar getuigenis te geven die misschien licht kon brengen in de chaotische erfeniskwesties van de familie Von Karsch-Kurwitz. De advocaat die de zaak onder zich had, wist uit vroegere ervaringen met *Ostzone*-kwesties dat de zaak hopeloos was en had zijn jongste medewerker ermee belast. Omdat er geen stenografe beschikbaar was geweest, was deze met een dictafoon naar een dorpje in de buurt van Augsburg gegaan om op 3 januari 1955 de verklaring van Maria Anna Zick op te nemen.

(AANVANG ONVERSTAANBAAR) '...maar nee, hij was toen al ouder dan ik, ik kwam pas later in het grote huis, mijn moeder werkte daar al eerder. Ze was kamenier van mevrouw de gravin, die woonde er toen nog. Daar werd over gesproken, over mevrouw, dat weet ík zelfs nog, al mocht ik toen natuurlijk nog niet op het huis komen. Toen mevrouw de gravin naar Italië verhuisde...

(ONVERSTAANBAAR)

O, ligt dat in Zwitserland? Nu ja, dat doet er niet toe, waar het ligt. Wij mochten niet mee, en mama zat zonder werk. Er woonde daar niemand, de jonge graaf woonde in Hamburg en later was hij in de oorlog en toen was hij naar het schijnt een tijdje zoek. Had hij in een ziekenhuis gelegen. Waarschijnlijk gewond in de oorlog. Al die tijd was er een rentmeester, Strich heette die, die voor eigen rekening boerde, en die...

(ONVERSTAANBAAR)

...en pas toen de oorlog in het westen voorbij was kwam meneer de graaf terug, de jonge dan, de ouwe was al jaren dood. Maar bij ons was die oorlog in 1918 nog niet afgelopen, je had van die snotneuzen uit Berlijn die bij ons op doorreis waren om op de Polen en de rooien te gaan schieten. Meneer de graaf had niet veel last van ze, ze mochten af en toe op het huis slapen. Eerst alleen maar branie: in hun blootje door de sneeuw marcheren. Wij meisjes kijken. Het was ook wel eens weken rustig. Dan zag je ze niet. Toen ze terugkwamen hadden ze bijgeleerd. Roven en zuipen.

(BANDWISSEL)
Nee, gelukkig kookte ik al voor meneer de graaf en deed ik zijn bewassing. Verder kreeg ik geen hoogte van hem. Hij was wel vaak ziek, dan ging hij naar een sanatorium bij Stettin en kwam hij een paar maanden later weer terug als hij zich beter voelde. Nee, veel deed hij niet. Hij zat vaak in de kamer met de vlinders. Op een dag is hij naar Berlijn gegaan. Toen hij terugkwam liet hij een kamer blinderen en daar ging hij dan liggen met zijn pijp. Je had geen kind aan hem. Maar dat wilt u toch allemaal niet weten? Wat er met het huis is gebeurd? Toen de bruinen kwamen en het oorlog werd, heeft hij het huis verkocht en alles eromheen. Nee, niet aan iemand uit de buurt. Aan een hoge van de partij. Ik heb nooit geweten hoe die heette omdat wij, ik bedoel de graaf en ik, hier naartoe zijn verhuisd. De familie had hier een huis. Dat was december '42 ja, dat ze het huis in Pommeren hebben verkocht. De grond was er ook bij. Hoe ik dat weet? Ik was in de kamer met de *Sekt* en de glazen toen meneer de graaf allerlei papieren tekende voor de overdracht. De koper had iemand met een volmacht gestuurd. Nee, dat zei ik toch, ik weet niet wie het gekocht heeft. Een hoge van de partij. Ik heb hem nooit gezien, wij waren al weg toen hij het huis overnam. Ja, ik moest mee. Zo was dat bij ons, als de heren je iets zeiden deed je dat gewoon. Het leven was wel hard toen, maar niet moeilijk. Nou ja, ik had toch niemand meer, mijn moeder was al dood, mijn vader heb ik nooit gekend. Enfin, mijn moeder ook maar een week.

(PAUZE)

(ONVERSTAANBAAR)...maar ja, meneer de graaf heeft alle huisraad achtergelaten. Zat misschien bij de koop. Hij heeft alleen wat schilderijen en de vlinders meegenomen. Al die kistjes met dat glas hebben we ingepakt. Ze zijn er nog, ze hebben de oorlog overleefd. Het is toch voor de erfenis dat we hier praten? Dan moet u dat opschrijven dat de vlinders er nog zijn. Opgeprikt. Elk heeft een kaartje eronder met hun naam. Of de graaf op grote voet leefde? Nee, we waren niet arm maar ook niet rijk. "Als we de Chinees maar kunnen betalen," zei hij altijd, maar ik wist niet wat hij daarmee bedoelde. Hij was wel wat vreemd soms. Weet u, die hoge van de partij heeft het huis in Pommeren volgens mij nooit afbetaald, maar het kon de graaf niets schelen. Hij gaf niet om geld. Niemand heeft last van hem gehad toen hij leefde, toen hij doodging ook niet. De dag dat de Amerikanen kwamen was hij opgelucht, hij heeft nooit veel opgehad met de bruinen. Salpeterhandelaars. Zo noemde hij de bruinen. U weet niet wat dat is, hè? Salpeter. "Je kunt het niet eten," zei hij, "je kunt er niet op zitten en het is gemaakt van stront."

(PAUZE)

...jazeker, de Amerikanen hebben hem per ongeluk doodgeschoten. Ik het weet nog goed. Het was koud en mistig. Iedereen in het dorp was gezegd binnen te blijven maar hij moest en zou naar buiten. Daar lag hij, op de stoep voor zijn deur. Neergeschoten door een jongen van achttien of zo, nog niet droog achter de oren maar wel *zó'n* geweer.

Pure zenuwen. Mijnheer de graaf leefde nog. Toen ze hem binnenbrachten zei hij: "De remplaçant kan nu naar huis." Hij moest erom lachen, nota bene terwijl hij doodging. Niemand wist wat hij bedoelde.

(PAUZE)

Het gaat toch om de erfenis, hè? Wat gebeurt er met de vlinders? Ze zijn een echt erfstuk van de familie, hij was er heel wijs mee. Moet ik nog ergens tekenen?'

Amsterdam 1992-2002

VERANTWOORDING

De hoofdstukjes twee tot en met zeven van deel I zijn in licht gewijzigde vorm gepubliceerd als 'De hydrograaf' in het tijdschrift *Optima* (16de jaargang, nr 2, september 1998).

De versregels op de blzn. 32 en 114 zijn afkomstig uit *Gedichten* van Fernando Pessoa (Uitg. *De Arbeiderspers*, blz. 177). De vertaling is van August Willemsen.

Het citaat op blz. 195 is uit Heinrich Heine, *Buch der Lieder,* Die Nordsee II , 7, vs 18.

De hydrograaf *is tot stand gekomen mede dankzij een werkbeurs van het Fonds voor de letteren*